Maria Lang

MÖRDAREN
LJUGER INTE
ENSAM

P. A. Norstedt & Söners Förlag

Stockholm 1973

ISBN 91-1-732091-7

© Maria Lang 1949 · Omslagsfoto av Chris Bergendorff · Grafisk
formgivning: Leif Zetterling-Produktion · Tryckt hos Boktryckeri
AB Thule, Stockholm 1973

Personerna:

PUCK EKSTEDT, *litteraturstuderande professorsdotter från Uppsala och mycket förälskad i*

EINAR BURE, *som är en moralisk historiker med bruna ögon och passion för detektivromaner.*

RUTGER HAMMAR, *nyvorden doktor i litteraturhistoria och ägare till sportstuga i Bergslagen.*

ANN-SOFI HAMMAR, *född Lillebiörn, hans blonda och kvinnliga hustru.*

CARL HERMAN LINDENSIÖÖ, *framgångsrik modernistisk lyriker.*

LIL AROSANDER, *född Arosander, extravagant dotter till direktör Arosander i AB Lyxfilm.*

JOJJE (GEORGE) MALM, *coming-man i AB Lyxfilm. Blond gud med skön kropp och mycket liten hjärna.*

MARIANNE WALLMAN, *mörk och temperamentsfull skulptris och konsthistoriker.*

VIVEKA STENSSON, *humoristisk licentiat i litteraturhistoria, som aldrig blir färdig med sin avhandling.*

"PYTTAN" HAMMAR, *sjuttonårig Stockholmsgymnasist, som vet vad hon vill.*

CHRISTER WIJK.

Prologen

utspelas vid ett frukostbord i Uppsala
en julimorgon år 1947.

Professorn i egyptologi Johannes M. Ekstedt vecklar omsorgsfullt ut en servett och kastar över glasögonen en orolig blick på sin enda dotter.

— Jag tycker inte riktigt om det, Puck lilla. Du känner ju knappast människorna. Och på en ö, långt från all civilisation ...

— Älskade pappsen, Bergslagen ligger i hjärtat av Sverige. Och om du inte hade varit så absorberad av dina gamla fotostatkopior ...

— Kära barn, det gäller ju en alldeles nyfunnen hieroglyftext; den är verkl ...

— ... så skulle du ha uppfattat att jag har talat rätt mycket om Rutger Hammar den sista tiden.

— Hammar? Hm. Det är ju den där stockholmaren, som du har druckit kaffe med på Landings konditori i stället för att sitta på Carolina och arbeta?

— Jag ber att få påminna dig om två saker. Rutger Hammar har skrivit en doktorsavhandling om Fredrika Bremer. Din dotter försöker — med föga framgång — att åstadkomma en licentiatavhandling om samma inspirerande författarinna. Och om den avhandlingen över huvudtaget blir färdig någon gång i framtiden, så är det tack vare Rutgers och mina kaffestunder på Landings. Förresten är han en rysligt trevlig och bussig kamrat, och han har en fru, som är hemskt ...

— Jag visste inte att du hade träffat henne.

— Jag var ju i Stockholm på Rutgers doktorsmiddag för några veckor sedan.

— Och nu har alltså paret Hammar bjudit dig till sin sportstuga uppe i Bergslagen?

— Ja, och jag begriper inte varför du inte är mer entusiastisk. Man åker tåg till något ställe, som heter Forshyttan, och där hämtar Rutger med motorbåt, för Lillborgen ligger på en ö mitt i en sjö — och de rår om ön alldeles ensamma ...

— ... med en halvmil till närmaste granne; jag tycker det låter måttligt angenämt, jag. Hur i all världen kan man hitta på att skaffa sig en sportstuga i en sådan avkrok?

— Rutgers föräldrar bor på Borg några mil från Forshyttan. Och Ann-Sofi är visst också från de där trakterna.

— De övriga gästerna då? Vilka är de?

— Ja, en av dem borde till och med du känna till fast han hör till min generation och inte till Nefertites. Det är Carl Herman Lindensiöö.

— Mm. Det är din favoritförfattare? Natur och kärlek på obegriplig vers.

— Den är visst inte obegriplig. Carl Herman Lindensiöö är den finaste kärlekslyriker vi äger just nu! Dessutom är han doktor i litteraturhistoria fast det är gåtfullt hur han kan ha hunnit med det, för han verkar då inte äldre än på sin höjd tretti år ... Vad sa du? ... Jo, för övrigt kommer det ytterligare två högskoliter från Stockholm. Lil Arosander har jag inte mycket minne av — annat än att hon är rödhårig och ganska uppseendeväckande. Och sedan är det en licentiat Bure. Einar Bure.

— Nåå?

— Ja. Jo, Jag hade honom till bords på doktorsmiddagen. Han var visst en barndomsvän till Rutger. Han var lång och mager och hade bruna ögon ... faktiskt mycket bruna ... Skrattar du?

— Inte alls, min tös. Men jag börjar inse att det är bäst att du får fara. Fast det blir tomt efter dig.

— Du är en raring! Men du förstår väl att det känns lockande att få komma bort från Uppsala i den här hettan. Och du ska inte oroa dig. Jag får det mycket lugnare och skönare på Lillborgen än på en badort.

Varpå professorn viker ihop servetten och uttalar de orakelmässiga orden:

— Vi får väl hoppas det, du. Vi får hoppas det. Men i ditt ställe skulle jag inte vara för säker ...

Första kapitlet

Värmen var olidlig, och jag kände hur näsan sken, lockarna klibbade och klänningen skrynklade sig när jag äntligen var framme vid Forshyttan på onsdagsmiddagen. Det idylliska tåget stannade med ett ryck och ett stönande, och mitt hjärta slog en volt när det upptäckte en brunbränd och leende Einar vid Rutgers sida på stationsplanen. De var båda iförda vita shorts och vita kortärmade skjortor, och Rutger, som även i normala fall är storvuxen, föreföll i denna dress ofantlig. Han har upplyst mig om att han inte är "mer" än en och nittio lång, men han har däremot aldrig talat om vad han väger. Jag förmodar att det är åtskilligt, för även om han trots sin storlek verkar smidig och välgymnastiserad är det uppenbart att han vandrar omkring med flera fettkilon för mycket i förhållande till sin längd. Där han kom emot mig i sin vita Montydress slog det mig, vilken ansträngning det måtte vålla honom att röra denna enorma kroppshydda, och jag förstod bättre än tidigare den lojhet, som är så karakteristisk för hans rörelser. De egendomligt ljusgrå ögonen i det monumentala ansiktet var emellertid vakna och spelade när han hojtade sitt glada "Välkommen". Han såg avundsvärt sval och välpressad ut, och det släta mörka håret var intensivt välkammat.

Einar verkade magrare än när jag såg honom sist i frack, men jag var medveten om att det kunde vara en optisk villa, framkallad av Rutgers överväldigande närhet. Sällan har jag så livligt önskat att jag måtte kunna lägga ett par decimeter till min växt, där jag stod i mina lågklackade sandaler nådde jag inte någon av de båda herrarna till axeln.

Vi vek in på en skogsväg, och medan jag skrattade och frågade och svarade försökte jag komma underfund med varför jag reagerade som en nyförälskad skolflicka vid blotta åsynen av Einars bruna ögon. Vi hade endast träffats vid ett tillfälle tidigare — det var på Rutgers doktorsmiddag — och då hade hans uppförande sannerligen inte givit anledning till några romantiska dröm-mar. Tvärtom måste jag med besvikelse och sorg och en rätt stor portion sårad kvinnlig fåfänga erkänna att han, fastän vi var oskiljaktiga ända till klockan fem på morgonen, inte gjorde ett försök att kyssa mig. För såvitt inte de akademiska vanorna är helt annorlunda i huvudstaden än i Uppsala var detta ett utomordentligt nedslående symtom. Och ändå gick jag här under de höga tallkronorna och var fånigt uppspelt och lycklig därför att det var just den karlen, som knogade på min väska bakom mig . . .

Jag hann aldrig reda ut mina förvirrade tankar, ty plötsligt glesnade träden, och inför mina förtjusta blickar bredde Uvlången ut sin spegelblanka och inbjudande yta. Snart satt jag bekvämt placerad i Rutgers eleganta motorbåt, och det stilla vattnet delade sig i forsande svallvågor när vi satte kurs mot en mörk rand tvärs över sjön, som jag tog för motsatta fastlandet men som visade sig vara Rutgers ö.

— Vad heter den?

— Det är den enda, som finns i sjön, och därför heter den på bygdens mål bara Ön. Den är onaturligt stor i förhållande till sjön, och där finns både berg och skog . . .

Rutger fortsatte att berätta om sina domäner, och man kunde inte missta sig på den kärlek och stolthet, som vibrerade under de långsamma och en smula torra orden. Redan innan jag hade satt min fot på Ön visste jag sålunda det mesta om dess och traktens sevärdheter.

Det framgick att Uvlången ur flera synpunkter var en ganska egendomlig Bergslagssjö. Den liknade närmast ett jättestort päron med spetsen vid den norra strand, som vi nyss hade lämnat. Där tömde Forshytteån ut sitt vatten, och dit var all traktens bebyggelse koncentrerad. En urgammal gård — Uvfallet — låg ända nere vid sjön; ett par kilometer längre upp i skogen fanns, som jag redan visste, Forshyttan med järnväg, post, telefon och handelsbod. Sjöns tre övriga stränder upptogs av djupa och obebodda skogar. I rakt sydlig riktning sträckte sig Uvlången, och längst ner i sydöst föll ån ut ur sjön: varvid den några hundratal meter inåt skogen svällde ut till den så kallade Lillsjön, en sannskyldig guldgruva både när det gällde fisk och kräftor.

Uvlången var närmare en mil lång. Märkvärdigt nog fanns det där inga andra holmar eller öar än den enda stora ön längst bort i sjöns södra del. Denna ö fyllde nästan helt päronets breda ända; avståndet från Ön till vardera södra, östra eller västra stranden översteg ingenstans åttahundra meter. Från Uvfallet till Ön var det i gengäld desto längre — drygt en halv mil.

Motorbåten hade god fart, och allt närmare höjde sig ur vattnet gråstensklippor på Öns nordsida. Det var verkligen inga överord att tala om "berg", som Rutger nyss hade gjort. Han pekade leende på branterna framför oss.

— Det är mycket lätt att orientera sig på Ön — den är nämligen med undantag för några vikar och utbuktningar i stort sett fyrkantig, och för att göra det hela så bekvämt som möjligt för gästerna har vi placerat de fyra turistattraktionerna i vart och ett av de fyra hörnen. Där i nordvästra hörnet har du utsiktsberget; jag kan lova dig en fin utsikt över hela Uvlången därifrån. I nordöst finns ett ännu brantare berg, det är det s. k. Stupet — pass på, snart rundar vi det — och nere i sydöst ligger min lilla båthamn.

I detta ögonblick rundade båten mycket riktigt den branta nordöstra udden, och jag gav till ett rop av häpnad och förskräckelse. Rakt framför oss höjde sig en brant klippvägg direkt ur vattnet, och Einar styrde rätt emot den ... Först när jag såg hans glada min förstod jag att han hade gjort en liten extra gir enkom för att skrämma mig. Och då var det för sent att ta tillbaka skriket.

Vi svängde på nytt runt en udde och gled sakta in i en stor, skyddad vik. Vid den långa bryggan låg en liten, utomordentligt vacker segelbåt sida vid sida med en vitmålad eka.

En spenslig man med ett virrvarr av mörkblonda lockar väntade längst ute på bryggan. Han var endast iförd ett par skrynkliga grågröna kortbyxor, och han verkade med sitt påfallande veka ansikte och sina gossaktigt blå ögon mycket ung och mycket litet berömd. Jag kände samma spontana sympati och halvt ömhetsblandade beundran, som jag alltid erfarit inför Carl Herman Lindensiöös dikter, och det var med uppriktig glädje jag fattade den hand, som varsamt hjälpte mig upp på bryggan.

— Välkommen, Puck, till den förtrollade skogen!

... Vi hade redan vandrat en god stund genom denna skog när jag plötsligt erinrade mig något.

— Säg, Rutger, vad finns det i det fjärde hörnet, det i syd-

8

väst? Det talade du aldrig om.

— Om du fortsätter att gå den här vägen en liten bit till får du själv se.

Carl Herman tog mig förtroligt under armen.

— Lägg märke till, Puck lilla, att Rutger emellanåt använder en något egenartad terminologi. När han sålunda talar om "vägen" menar han faktiskt den stig, som du just nu går på och som i många slingor smyger sig från båthamnen fram till stugan. — Ovanligt opraktiskt arrangemang förresten att lägga båtarna på två kilometers avstånd från bostaden! — Ibland ordar han också om Öns två "stigar", en till Utsiktsberget och en till Stupet, men försök aldrig att leta efter dem om du vill hinna uträtta något annat nyttigt i din ungdom.

— En sak har *jag* aldrig fattat, insköt Einar stillsamt, och det är var du skaffar dig inspiration till din så kallade naturlyrik. Tydligen inte i naturen i varje fall.

— Nej, det är lättfattligare med kärlekslyriken, tillfogade Rutger leende.

Och så tog "vägen" slut framme vid en hög rönn, och jag förstod att Rutger sparat det bästa till sist. Hela udden bestod av en enda stor, mjuk grässlätt. Ett jättestort tegelrött solparasoll kastade en smula skugga över ett grönt bord med tillhörande soffa och stolar, och lättjefullt utspridda över hela gräsmattan lyste tegelfärgade vil- och liggstolar som stora blommor i grönskan. Alldeles uppe vid skogsranden låg Lillborgen. Det var en kraftig och vacker envåningsstuga i brunbetsat timmer. Där den låg med den höga barrskogen bakom och gräs och vatten framför sig, tycktes den mig vara den förkroppsligade drömmen om en sportstuga. Jag såg upp i Rutgers förväntansfulla ansikte.

— Åååh! sade jag, och jag skulle förmoda att avunden i min röst helt och fullt tillfredsställde den stolte ägaren.

Vi hade badat i viken nedanför Lillborgen och satt småpratande på badbryggan då jag med ens saknade Ann-Sofi.

— Jag har ju nätt och jämnt hälsat på henne. Var håller hon hus?

— I köket naturligtvis. Klockan är ju över sex.

— Och där låter ni henne knoga ensam?

På hela kvinnokönets vägnar gav jag de tre karlarna en indig-

9

nerad blick och sprang hastigt uppför den långa, mjuka grässlutt-ningen. Utan hänsyn till min våta klädsel vek jag om husknuten och störtade in till Ann-Sofi i köket.

— Varför har du inte sagt ett ord? Finns det inte någonting kvar åt mig att göra?

Ann strök det ljusa håret ur pannan och skrattade.

— Det är färdigt om några minuter om bara ni är klara då.

Det var något mycket friskt över henne, där hon stod i sin blommiga rock och med kinderna blossande av spisvärmen. Ann-Sofi Hammar var precis så svensk och blåögd och blond och lång-bent, som jag alltid åtrått att vara. Jag fick visioner av Tegnérs Ingeborg när jag såg henne — det var samma svala, nordiska skönhet, men det var också samma obestämda, ogripbara person-lighet eller kanske man skulle säga opersonlighet. I alla händel-ser hade jag inte ännu fått någon uppfattning om hur Ann-Sofi egentligen såg ut invärtes. Utan tvekan var hon den mest tyst-låtna i vårt gäng, men om detta berodde på att hon var blyg el-ler reserverad eller rent av på att hon ingenting hade att säga var svårt att uttala sig om. På något sätt tycktes hon inte passa ihop med oss och vår akademiska jargong, och jag kunde inte heller utan en viss ansträngning tänka mig henne som Rutgers hustru.

— Du är mycket huslig? sade jag försöksvis.

— Det är ju mitt yrke. Jag är inte intellektuell och estetisk som ni andra utan av en betydligt vanligare sort. Du känner sä-kert igen modellen: studentska med medelmåttiga betyg. Eng-landsresa och sedan hushållsskola! Och jag släpper inte gärna in gästerna i min helgedom köket, så du kan ta det med ro.

Sedan min insats i middagslagandet sålunda inskränkt sig till att jag hade bildat en stor pöl på Ann-Sofis prydliga golv gick jag för att klä mig litet torrare och anständigare.

Ungefär femtio meter bakom själva Lillborgen skymtade mel-lan tallarna två mindre flygelbyggnader. Den till vänster använ-des som vedbod och uthus, den andra innehöll tre gästrum om vardera två sängar. Det hela var enkelt, trevligt och praktiskt. Varje rum hade sin egen ingång, däremot fanns det ingen förbin-delse mellan de olika rummen. Einar och Carl Herman hade ge-mensamt lagt beslag på den bortersta lyan och lämnat åt mig att välja mellan de två andra. Och i någon känsla av att skogen

10

bakom fönstret var stor och mörk hade jag valt det rum, som låg i mitten. Det föreföll bäst skyddat, och där befann jag mig dessutom i intim närhet av de båda männen. Väggen var inte tjockare än att jag rätt tydligt kunde höra deras lugnande röster och glada skratt.

Dessa skratt ljöd för övrigt ännu gladare än vanligt när jag kom in för att dra av mig den våta baddräkten. De trivdes bestämt mycket bra tillsammans, de två där inne. Jag log lyckligt medan jag kröp i ett par solgula shorts och en vit blus. Den man jag älskade och den store skald, som jag beundrade, levde, rörde sig och skrattade inte två meter ifrån mig. Livet var härligt och den närmaste framtiden full av löften.

Hoppfullt nickade jag åt flickan inne i spegeln. Den bild, som mötte mig, föreföll mig åtminstone för ögonblicket inte helt i avsaknad av förtjänster. Jag hade för länge sedan måst förlika mig med att jag var på tok för liten för att någonsin kunna förvärva epitetet "stilig". Men min kropp var vacker, det kunde jag inse även utan att det motsatta könet flåsade det i mitt öra. Ansiktet var inte klassiskt vare sig efter egyptiska eller grekiska mått, men näsan var rak och ögonen — min stolthet ända sedan flickåren — så mörkblå att de ofta togs för svarta. Förmodligen var det ögonen, som i förening med en viss sinnets vildhet gjorde att pappa i mina barnaår associerade till Shakespeares oberäkneliga lilla skogsande när han utbytte mitt stelbenta dopnamn mot det smeknamn, som sedan blivit min benämning. Jag knöt ett vitt band om mina mycket kortklippta svarta lockar och konstaterade belåten att hyn hade den varmt bruna färgton, som ibland kommer mig att undra om jag verkligen på några mystiska vägar har fått ett stänk egyptiskt i mina ådror. Fast så brun som Einars var den ju inte...

— "Man ska förlova sig på sommaren", sjöng Carl Herman, och jag lämnade rummet innan jag hört honom förkunna att det hela i alla fall är slut i november.

Jag följde den lilla gångstigen fram till stugan och passerade tätt förbi dess östra gavel. Där låg Anns och Rutgers sängkammare — jag såg en skymt av Rutgers rygg — samt det lilla biblioteket med sina bokklädda väggar. Snart stod jag på gräsplanen framför huset och njöt i fulla drag av den praktfulla utsikten. Gräset var gnistrande grönt, vattnet blänkte i mörkaste blått medan himlen var obegripligt hög och klar. Träden på stranden mitt emot verkade påtagligt nära.

Ann visade sig i dörren:

— Jag har dukat inomhus. Jag trodde det skulle vara svalare här. Sno er nu!

Större delen av Lillborgen upptogs av det rymliga och mycket trevliga sällskapsrummet. Det hade två stora fönster åt norr — man skymtade gästflygeln mellan träden — och breda skjutdörrar förde ut till södersluttningen och vattnet. När dessa dörrar, som nu, var fråndragna och fönstren stod på vid gavel uppstod det faktiskt något som påminde om svalka. På ömse sidor om den stora öppna spisen ledde på östra väggen två dörrar in till sängkammaren och biblioteket. Motsvarande utrymme åt det västra hållet upptogs av köket och en därmed sammanhängande liten jungfrukammare.

Vi andra hade redan huggit in på Ann-Sofis läckra anrättningar när Carl Herman anlände, sjungande "I never was kissed before". För att vara en djupsinnig och allvarligt syftande poet hade Carl Herman verkligen en förvånansvärd kännedom om moderna och inte fullt så djupsinniga schlagertexter.

Han var uppseendeväckande varmt och korrekt klädd i ljusgrå långbyxor och grå sidenskjorta med en ytterst kokett liten kravattfluga i exakt samma färg som de glittrande blå ögonen. Vid sidan av denna uppenbarelse verkade vi andra med våra bara halsar och ben nästan utmanande nakna.

— Vad i all världen ...? började jag. Har du läst fel på termometern?

Rutger skrattade.

— Han har skrudat sig för att göra intryck på Forshyttan, där han ska hämta mat, post och — Lil.

— Ja, men ...

— Du känner inte Lil, suckade Einar och sträckte sig efter en ny pilsner. Men ser du, det gör Carl Herman.

Till min förvåning fann jag att Carl Herman rodnade. Mer än någonsin påminde han om en blyg och litet tafatt gymnasist, och plötsligt tyckte jag att vi var stygga mot honom.

— Jag får bestämt lov att helt och hållet ändra uppfattning om Einar, sade jag. Jag trodde att han var en allvarlig och saklig vetenskapare, men han tycks i stället vara en veritabel retsticka.

Hurudan är han, ni som känner honom?

Carl Hermans glada ögon såg ovanligt troskyldiga ut när han svarade.

— Arma, ovetande barn! Du känner alltså inte till den stora hemligheten i Ejes liv? Du vet inte att han i grund och botten är en pervers typ, som formligen stinker av morbida böjelser. Sanningen att säga, så för han ett misstänkt dubbelliv — doktor Jekyll och Mr Hyde, you know.

— Parallellen är slående, konstaterade Rutger skrattande. Licentiat Bure och herr Ejnarskog. Simsalabim!

Eftersom jag förstod mindre och mindre vände jag mig direkt till dubbelmannen i fråga:

— Vad *är* det här? Blir du galen när månen skiner och rusar ut och biter unga flickor? I så fall ska jag på det bestämdaste be att få slippa sova vägg i vägg med dig. Eller har du vid något tillfälle försökt strypa den rare och oförarglige Carl Herman?

Einar stönade.

— Det är väl inget annat att göra än att klämma fram den hemska sanningen. Fast jag tycker det var rasande ofint av er andra att sprida mitt dåliga rykte ända till Uppsala. Saken är den att jag — hm — att jag förra året gav ut en detektivroman.

Rutger skyndade till hans undsättning.

— En riktigt styv sak om vi ska vara uppriktiga. Under pseudonymen Ejnar Ejnarskog.

— Vänta, sade jag andlöst. Jag har läst den! Den hette ...

— "Mordet på Observatoriekullen." Jag satt ett år som lärare ute i landsorten och var avskuren från alla möjligheter att arbeta på min avhandling. Och då roade jag mig med att puzzla ihop den. Jag har alltid haft en lätt passion för deckare. En av mina bästa vänner är dessutom detektivkommissarie, och med honom har jag diskuterat igenom många problem. Men naturligtvis vågade jag inte ge ut den i eget namn. Visserligen har vi en mycket mänsklig professor men man skriver inte först en deckare med åtta mord och sedan en doktorsavhandling om Birgittas uppenbarelser om man vill att det senare verket ska bli taget på allvar. Och nu försöker jag behärska mina "morbida" instinker ett slag och i stället ägna mig åt den heliga Birgitta.

— Du ser ut att längta tillbaka till mindre serafiska sfärer, sade Rutger med ett fint leende.

Carl Herman suckade.

— Se på Puck, hur hon sitter där, fylld av beundran. Vad har man för glädje av att man anstränger sig att skriva högklassig poesi om kärlek och kornknarrar när man ändå blir slagen ur brädet av en sådan där Hötorgsförfattare?

Middagen förflöt i samma glada stil. Så småningom bröt Carl Herman upp sedan han utrustats med långa listor och ännu längre förmaningar av Ann, som tydligen inte hade någon hög tanke om hans praktiska sinne.

— Kom ihåg: du ska hämta mjölk och ägg hos Larssons på Uvfallet och ett paket hos handelsman, och så ska du lämna den här listan på varor, som vi vill ha i övermorgon; du får gå bakvägen, för han har säkert stängt; posten och . . .

— Lil! Glöm för all del inte Lil, ropade Einar gäckande.

Solen hade börjat sjunka, och Ann serverade kaffet under det stora tegelfärgade solparasollet ute på gräsplanen. Carl Herman hade knappast försvunnit förrän kapitlet Lil åter togs upp.

Det var Ann, som skrattade:

— Jag måste erkänna att jag är riktigt rädd att få hit den mycket omtalade Lil. Jag undrar om hon inte är en smula för extravagant för den här miljön.

— Oroa dig inte, sade Rutger, om rollen av naturbarn roar henne kommer hon att spela den con amore.

— Ni känner henne allihop, knotade jag. Det är bara jag, som inte vet, vilket öde jag går till mötes. Ge mig åtminstone några förhandstips.

Ann skakade på huvudet, och jag tyckte att hennes röst lät kyligare än vanligt när hon sade:

— Jag känner henne inte. I själva verket har jag bara träffat henne en gång, och det var på Rutgers doktorsmiddag.

Jag stirrade häpet på henne medan Rutger underströk det egendomliga i hennes ord genom att meddela:

— Hon hör till vår intimaste kamratkrets i Stockholm. Eje är visserligen alltid elak mot henne och i någon mån om henne, men jag tror att till och med han måste medge att det aldrig är tråkigt, där hon är med. Det är färg och fart över Lilian Arosander . . .

— Jaa då, mumlande Einar, som var strängt sysselsatt med att stoppa den älskade pipan. Och färgerna växlar. Det bidrar betyd-

14

ligt till att motarbeta långtråkigheten. För närvarande tror jag håret är rött och ögonen gröna.

Ann skrattade.

— Nu är du bestämt orättvis i alla fall, Eje. Hon kan väl ändå inte ändra färgen på sina ögon.

Einar såg ut som om han ansåg miss Lilian kapabel till vad som helst. Men min nyfikenhet var retad.

— Hur gammal är kvinnan? Och vad gör hon? Ni menar väl inte att hon tillbringar sina dagar i forskarsalen på Kungliga biblioteket?

— Man ska aldrig fråga efter en kvinnas ålder, sade Einar förmanande, och i fallet Lil lönar det mindre än någonsin. Hon ser ut som tjugotvå men måste enligt alla sannolikhetsberäkningar vara tämligen mycket äldre. Hon har ändå tagit en fil. kand. — en god sådan förresten! — gift sig och skilt sig ...

— Nå ja, avbröt Rutger leende, det äktenskapet blev ju kortlivat.

— Med vem ..., ropade Ann och jag i munnen på varandra, och herrarna, som började inse att de väckt våra farligaste instinkter, suckade.

— Det är inte mycket jag vet — Einar tog pipan ur munnen och knackade omsorgsfullt ut den nyss inlagda tobaken — men det jag har reda på ska jag berätta. Lil eller Lilian, som hon egentligen heter, är dotter till direktör Arosander i AB Lyxfilm. Gubben är oerhört tät, och Lil är enda barnet. Hon är otvivelaktigt mycket begåvad, men framför allt är hon alldeles otroligt bortskämd. Hon är van att få allt vad hon pekar på, i synnerhet in eroticis, men när hon väl har fått sin leksak är den inte så rolig längre. För cirka två år sedan var det en jägmästare, som kom i skottlinjen. Herren vete, var hon hade hittat honom. Det var en lång, grann karl med brun hy och de stora skogarnas mystik i blicken, och Lil gav sig inte förrän hon var fru Hall och bosatt mitt uppe i den romantiska vildmarken. Förmodligen älskade de varandra dygnen om de första tre månaderna, han såg ut att vara den typ, som orkade med henne ...

— Eje! sade Ann med uppriktig förfäran, och Einar smålog föga botfärdigt.

— Efter ytterligare två månader var "fru" Arosander emellertid tillbaka i huvudstaden, där hon numera fuskar litet i teaterhistoria samtidigt som hon hjälper pappan att sköta reklamen för Lyxfilm. Strängt taget är hon själv den bästa reklamen för ett bolag med det namnet!

Men om Einar trodde att min nyfikenhet nu var tillfredsställd misstog han sig.

— Och Carl Herman, var kommer han in i historien? Han tycks vara rätt illa däran.

— Han har setts rätt mycket tillsammans med henne i Stockholm. Men ...

Rutger reste sig plötsligt och gick några steg över gräsplanen.

— Lil är erotiskt mycket fascinerande, sade han eftersinnande. *Men hon är en katta.*

Och med detta salomoniska yttrande klippte han av det intressanta debattämnet och gick över till att tala om solnedgången.

Ann föreslog att vi skulle ta en promenad medan hon diskade, och på sitt vanliga milda men bestämda sätt lyckades hon driva sin vilja igenom.

Jag kände mig fylld av upptäckariver och ville helst gå runt hela Ön, men detta hurtiga företag avvärjdes med bestämdhet av Einar.

— Det blir minst en mil. Och en mil i *den* terrängen i den här värmen betackar åtminstone jag mig för. Välj du en av Rutgers små stigar, så ska du se att du får motion nog.

Han hade så rätt. Jag var ganska belåten redan innan vi knogat oss upp till den högsta punkten av Utsiktsberget. Men utsikten från bergsplatån över den kvällsblanka Uvlången var fullgod belöning för mödan. Lång och svart låg den nedanför oss, på båda sidor omgiven av skog. Så häftigt vällde skogarna fram att träden emellanåt föreföll att växa ända ut i vattnet.

Och plötsligt, medan mina sinnen ännu sög in den storslagna tavlans nästan overkliga skönhet, kände jag att denna storhet och denna tystnad skrämde mig. Den svenska sommaren har för min inbillning alltid stått som något leende och ljust, men den natur, som nu trängde sig på mig, var sluten och fylld av ett obegripligt svårmod. Rutger, som tycktes ana mina känslor, lade beskyddande armen om mig och sade stilla:

— Bergslagen är farlig för den som inte själv är stark och lycklig. Och sommarkvällarna här uppe föder många tunga och underliga tankar ...

16

Jag huttrade till, och han fortsatte hastigt:

— Du fryser. Det är bäst att vi skyndar oss tillbaka.

Nedstigningen visade sig vara betydligt bekvämare och enklare än uppklättrandet. Jag frös emellertid fortfarande, och så fort vi kommit hem till Lillborgen skickades jag in för att klä mig en smula varmare. Med välbehag bytte jag ut soldräkten mot mina nya klarröda långbyxor och en vit angorajumper. I rummet bredvid mig visslade Einar någonting, som skulle föreställa "Sången till livet" . . .

När jag kom ut igen stod Rutger på gräsplanen med ett lyssnande uttryck i ögonen. Och mycket riktigt. Någonstans i fjärran hördes motorbåtens jämna puttrande. Rutger försvann på vägen nedåt båthamnen, och jag slog mig ner i en av de tegelröda vilstolarna medan jag försökte intala mig att tegel och knallrött under vissa förhållanden kan bilda utsökta modernistiska harmonier.

Efter en stund förenade sig Ann och Einar med mig, och vi njöt under tystnad av skönheten och den absoluta stillheten omkring oss. Jag författade i tankarna ett brev till pappa: "Du kan helt enkelt inte ana vad här är ljuvligt och lugnt . . ."

Einar bjöd mig tigande en cigarrett, och jag böjde mig lika tigande fram för att få eld när han plötsligt hejdade sig med den brinnande tändstickan halvvägs från målet.

— Herre Gud! mumlade han, och hans ögon stirrade förhäxat på rönnen eller någonting i dess grannskap.

Och kvällens tystnad dunstade bort som rök över vattnet vid ljudet av en kvinnostämma, som smeksamt flöjtade:

— Hallå raringar! Ni har väl ingenting mot att jag tog Jojje med mig?!

Andra kapitlet

Ingen kunde säga annat än att Lil Arosanders entré var synnerligen effektfull. Ingen, som hade sina ögon i behåll, kunde heller förneka att hon själv var en högst raffinerad uppenbarelse.

Färgat eller inte, var hennes gyllenröda hår under alla omständigheter sådant att andra kvinnor bleknade av avund. Ett enkelt band höll det samman och tillät det endast att regna ner i några lockar i nacken. Frisyren förde tanken till tidiga artonhundratalskaméer, och den fina profilen fullbordade intrycket. Hyn var skimrande vit, och helt plötsligt tedde sig min solbränna, som jag nyss var så stolt över, plågsamt patenthurtig och okvinnlig. Ögonen satt lustigt långt ifrån varandra, och när hon kom närmare fann jag att de minst av allt var gröna; guldbruna var de som varmt lysande bärnsten. Hon var av medellängd och mycket välväxt.

Om en kvinna är verkligt vacker lägger man först i andra hand märke till hennes kläder. Lil var ändå iförd något mycket iögonenfallande, baraxlat och grönbrokigt, som tydligt annonserade sin härstamning från NK:s Californiashop. Palmer vajade på hennes höfter när hon gick, och glada apor klättrade uppför hennes byst. I handen höll hon en kolossal halmfärgad hatt, som för övrigt lika gärna kunde vara en badväska.

Trots allt var det förmodligen inte Lil i all hennes glans, som fått Einar att så när tappa ögonen då han lyfte blicken från min tändsticka. Jag förstod det när jag sansat mig tillräckligt för att kunna ägna en del av min uppmärksamhet åt primadonnans skickligt arrangerade bakgrund. Jag såg en skymt av en road och förbryllad Rutger och en sammanbiten Carl Herman, som båda knogade på ett otal tunga väskor — hur länge tänkte människan stanna? — men sedan fastnade min blick som flugan på flugpapperet. För "Jojje" var i sanning värd att beskåda.

Klädd i ett par otroliga kortbyxor, på vilket muntra fiskar plas-

18

kade omkring bland blåa böljor, och med en ännu lekfullare skjorta hängande utanpå, stod på vår fredliga gräsplan i Uvlången en blond ung gud, som var det skönaste jag någonsin upplevat.

Vader och lår, armar och hals, ja allt man över huvud taget såg eller anade under fiskarna var fulländat och sinnesförvirrande grant, huden brunglänsande som matt brons, ögonen sammetsblå och vågorna på det bildsköna huvudet mycket, mycket blonda. Det var Mannen i hans absoluta fysiska fullkomning — och jag blev full i skratt och fånigt svag i knävecken ungefär på samma gång.

— Det är Jojje, kvittrade Lil, som hade sjunkit ner i en vilstol. Jag kunde bara inte skiljas från honom, så jag tog honom med mig.

Jojje log en serie blänkande leenden och bortfördes därefter av Rutger för att avlasta Lils alla hattaskar i gästflygeln. Jag stirrade fascinerad på en hel trampolin med badande najader på hans skjortrygg.

Ann försvann åt något håll, och Einar och jag blev ensamma med Lil. Einar njöt synbarligen av situationen.

— Var i alla helgons namn har du fått tag på honom? Han skulle ju vara ett fynd för Operascenen som den strålande Siegfried — germansk och ynglingakraftig och sensuellt upphetsande i bästa Wagnerstil.

— Han sjunger inte, sa Lil allvarligt.

— Tur för Svanholm, det.

— Och förresten skulle han aldrig kunna lära sig operapartierna. Ser du, han har faktiskt inte *så* mycket i hjärnan. Nu log hon, ett glittrande litet leende.

— Nej, män som ser ut som avelshingstar brukar märkligt nog inte ha det. Men vad ska du göra med honom?

— Lansera honom som förste älskare i Lyxfilm. Pappsen har visserligen inte sett honom än, men naturligtvis blir han lycklig. Jojje kommer att spela in miljoner.

— Han *heter* väl inte Jojje?

— Nej då, han heter George Malm, men vi får väl hitta på något bättre ...

Lil blåste ut en rökring och betraktade den drömmande.

— Vet du, han *är* verkligen gullig. Jag är allvarligt förälskad i

19

honom.

Einar såg av någon anledning misstrogen ut.

På denna punkt i konversationen bestämde sig Lil helt oväntat för att också lägga märke till min enkla person. Cigarretten gjorde en svag gest åt mitt håll, men det var inte till mig frågan ställdes.

— Det där söta, mörkögda barnet, som ingenting säger, är din tös kan jag förstå? Roligt att få göra hennes bekantskap.

I häpenheten lyckades jag inte ens frambringa den klädsamma rodnad, som alldeles avgjort hade varit på sin plats. Men Einar blev för en gångs skull svarslös.

Återstoden av kvällen var knappast lyckad. Bland de sju personer, som drack kaffe ute på gräsplanen och som sedan borde ha utgjort en bild av semesterglädje och allmän trivsamhet, var det åtminstone fyra, som var eller blev på ett utpräglat dåligt humör.

Vad Carl Herman beträffade gjorde han inte ens någon ansats att dölja sin irritation. Han talade inte till den arme Jojje, och det var nätt och jämnt att han svarade när Ann-Sofi eller Einar emellanåt vände sig till honom. Situationen förbättrades ingalunda av att Lil, som en halvtimme tidigare förkunnat att hon var allvarligt förälskad i den sköne filmmannen, nu inte tog den ringaste notis om denne. Hon hade genom någon diskret men skicklig manöver lyckats anbringa Rutger vid sin sida och minst fem meter luft mellan dem båda och det övriga sällskapet. De gröna palmerna lyste vackert mot den tegelfärgade stolen, och den smeksamma rösten tycktes ha många roande ting att förtälja, för Rutgers grå ögon log och det tunga ansiktet hade fått en glöd, som jag aldrig sett där förr. Jag hade trott att den lugne Rutger även i sitt förhållande till det motsatta könet var en smula loj och ointresserad, men när jag såg honom böja sig fram mot Lil liksom för att bättre fånga och fasthålla hennes guldskimrande blick började jag undra om han var så likgiltig — och så ofarlig — som jag föreställt mig.

Carl Herman körde oupphörligt fingrarna genom det lockiga håret, och det var uppenbart att han inte hade långt kvar till bristningsgränsen. Hans veka ansikte, som så tydligt återspeglade alla känslor och stämningar, var bittert och slutet, och det skar i mig att se honom sådan. Jag ville stryka honom över kinden och viska: Hon är inte värd det! — men sådana saker gör man nu en gång för alla inte. Med en suck försökte jag i stället koncentrera mig på det samtal, som Einar och Ann-Sofi tappert höll i gång rörande höstens svamputsikter, medan de bägge otvivelaktigt tänkte på helt andra ting än kantareller och smörsoppar. Anns blickar smög sig ofta och undrande bort till Rutger, och jag fick den känslan att hon ansträngde sig att fatta något oerhört och ofattbart. Och jag visste bestämt att om jag hade varit i hennes kläder hade jag gjort ungefär vad som helst utom att sitta stilla och väluppfostrat konversera om de bästa svampmarkerna.

Jag kunde däremot inte alls räkna ut vad Einar hade för anledning att vara ur gängorna. Han bolmade frenetiskt på sin pipa, och han verkade nervösare än jag trott honom om att kunna bli. Mig behandlade han med ens som om jag varit luft, och jag kände att mitt eget humör undan för undan dalade ner i skosulorna. Vad var det som höll på att ske? Hur var det möjligt att en enda människa på detta sätt kunde sprida otrivsel och irritation bland oss allesammans?

Den ende, som förvånansvärt nog inte alls lät sig påverkas vare sig av Lils kuttrande med Rutger eller av den isiga stämningen i övrigt, var den olycksalige Jojje. Han strövade omkring en stund och tittade på omgivningarna men kom sedan tillbaka och slog sig ner i gräset vid mina fötter.

Hans leende var nästan blygt.

— Förlåt, jag uppfattade visst aldrig vad fröken hette?

— Säg du, för all del! Jag heter Puck.

— George. Tack ska du ha! Han sade sitt namn med ett visst eftertryck; tydligen var han tacksam att ha fått detta tillfälle att betona att han inte var lika förtjust som Lil i det föga manliga Jojje.

Sedd på så nära håll var han helt enkelt skrämmande vacker. Det skulle behövas alla veckotidningars samtliga superlativer för att ge en rättvis föreställning om denne nordiske Adonis. Ögonfransar, som säkert var två centimeter långa, inramade de intensivt blå ögonen och kom dem att verka mörkare än de egentligen var. Hans tänder lyste vitare och jämnare än alla leenden, som tandkrämsannonserna någonsin uppvisat.

Ansiktet var manligt och absolut harmoniskt skulpterat. Han var ingenting mindre än en inkarnation av alla fulländade sagohjältar och filmhjältar, och jag förstod medan jag fortsatte att hä-

21

pet betrakta detta Guds underverk att jag i min ofullkomlighet aldrig skulle stå ut med att dagligen se så mycken mänsklig skönhet. Den var alltför deprimerande och på något sätt alltför onaturlig.

Jag greps av ett nyfiket begär att veta hur han själv uppfattade sin unika situation. Han verkade egentligen inte självmedveten — och ändå var det väl knappast möjligt att han inte var det; mitt eget kön brukar minsann dra försorg om att karlar, som inte har bråkdelen av hans yttre förtjänster, blir grundligt bortskämda så snart de hunnit ur koltåldern. När han efter en stund använde sig av en mer än vanligt lång paus i den ansträngda kantarellkonversationen och frågade om ingen ville gå med honom på en liten nattfösarpromenad, reste jag mig därför gärna. Vad som helst var för övrigt bättre än att sitta kvar och surna till ytterligare.

Det hade skymt på, och inne mellan träden var det redan ganska mörkt. Vi följde vägen ner till båthamnen, den var rätt väl upptrampad, och här kunde man ledigt gå två i bredd. George var inte särskilt talför, och efter det att vi utbytt åsikter om värmen, vägen och myggen gick vi tigande genom dunklet. Till slut kunde jag inte hålla inne med mina tankar:

— Hur känns det att se så bra ut som du gör, George?

Han skrattade en smula förvånat men utan vare sig högfärd eller förlägenhet.

— Min kropp är nog all right, och det är jag glad för, men för övrigt skulle jag gärna byta till exempel med den bistra typen med pipan där uppe.

Pojken var ju riktigt sympatisk! Jag fortsatte med ökat intresse intervjun. — Vad gör du? När du inte går omkring och är coming-man i AB Lyxfilm, menar jag.

— Jag har gått i ett par teaterskolor i Stockholm. Men det är nog ingenting för mig. Läsa blankvers och sådant förstår jag mig inte alls på. Jag kan nog älska i det riktiga livet, men när jag ska uttrycka andra människors känslor blir jag bara osäker och onaturlig. Så har jag varit modell på en konstskola, det var bättre. Där träffade jag förresten en kamrat till Lil och det här gänget, Marianne Wallman. Känner du henne? — inte? Det är nog den tjusigaste kvinna jag har mött ...

Och George försjönk efter detta vältalighetsprov i drömmande

22

tystnad.

Men nere vid stranden var allt trolskt vackert med mjuka konturer och nattsvart vatten, och Georges animala instinker sade honom helt säkert att en kroppsligen närvarande kvinna kan vara till större glädje än tio aldrig så tjusiga i drömmen. Jag anade rätt väl vad som skulle komma, men det dröjde längre än jag väntat. Vi hade redan börjat vår återfärd genom skogen då jag kände hans arm om min midja och sekunden efteråt hela hans smidiga, starka kropp mot min. På nytt erfor jag samma knäsvaghet, som då jag först upptäckt honom, och jag visste att mina lemmar bara var alltför villiga att ge sig åt honom trots att alla övriga delar av min varelse reagerade med en blandning av likgiltighet och förakt. Om föraktet riktade sig mot det praktexemplar av hankön, som nu som bäst försökte kyssa mig, eller mot min egen person hade jag visserligen en smula svårt att utreda. Med en storartad anspänning av både vilja och krafter lyckades jag emellertid vrida mig ur det våldsamma greppet och med någorlunda lugn stämma säga:

— Nej, George, inte så. Jag tycker bättre om dig om du låter bli det där.

Han lydde snällt och utan att bli vare sig ond eller purken. Det var snarast som om vi efter detta trivts bättre med varandra, och den sista biten sprang vi hand i hand som två glada barnungar.

Framme vid stugan höll man på att bryta upp för kojning. Det hade bestämts att George skulle få ligga i den lilla jungfrukammaren intill köket, och eftersom detta innebar att jag slapp dela rum med Lil var jag mycket belåten med arrangemanget. Förstrött började jag klä av mig när jag plötsligt upptäckte att jag tappat mitt armband. Det var ett vackert egyptiskt arbete i guld, som säkert var värt mycket pengar, men den sidan av saken bekymrade mig minst. Jag erkänner gärna att jag är vidskeplig, och ända sedan jag fick smycket hade jag varit bergfast övertygad om att det skyddade mig för allt ont. Pappa skrattade och sade att det var forna bärarinnors övertro, som förmedlats till mig, men han är själv inte så litet av en mystiker, och han tillade skämtsamt att om jag ville bevara dess kraft skulle jag aldrig låta någon annan bära det. Jag hade hellre slagit sönder sju speglar i rad än förlorat mitt lyckoarmband, till på köpet i de här förfär-

23

ligt mörka skogarna! Det hade sannerligen varit en olycklig kväll i alla avseenden.

För första gången på många år kunde jag inte sova. Einar och Carl Herman samtalade lågmält; inne hos Lil var det dödstyst. Jag vred och vände mig tills lakanet och jag såg ut som ett mellanting mellan mumie och kåldolma, allt under det jag undrade varför det alltid är fel män, som vill kyssa en. Så småningom märkte jag att rösterna bredvid mig hade tystnat och att det inte längre var så mörkt i rummet. Jag var absolut klarvaken, och jag började fundera på Rutgers godnattreplik till Lil:

— Om de vackra drömmarna inte vill komma anbefaller jag mitt lilla men synnerligen välsorterade bibliotek. Vi sover alltid för öppna dörrar här ute, så det är bara att promenera in.

Till slut förstod jag att en litteraturhistorisk avhandling skulle vara min enda räddning, och jag smög mig försiktigt ut. Det var daggvått i gräset och rådde en underlig dager mitt emellan ljus och mörker. Sällskapsrummets tunga skjutdörrar stod till hälften öppna, och jag tassade in i biblioteket. Med ett fyrahundra sidor tjockt verk om "Den medelålders Atterbom" under armen ställde jag kosan tillbaka till min säng. Kommen halvvägs stannade jag emellertid som fastnaglad. Tio meter ifrån mig mellan ett par tallstammar såg jag George Malm i en situation, som jag tyckte mig känna rätt väl igen — och den kvinna, vars läppar han så intensivt kysste, var ingen annan än Ann-Sofi Hammar.

Tankarna tumlade runt i mitt arma huvud när jag äntligen osedd lyckats ta mig tillbaka till mitt rum. Hade jag misstagit mig så grundligt på den svala Ann-Sofi? Eller handlade hon helt desperat under inflytande av svartsjuka? Och Rutger — låg han inne och sov medan hans fru hade kärleksmöten med en annan eller var han också ute på äventyr i sommarnatten?

Jag somnade slutligen utan Atterbom och vaknade på torsdagsmorgonen av att Lils paranta uppenbarelse hängde halvvägs in genom mitt fönster.

— Sover du *alltid* så här länge, darling? Klockan är halv elva, och vi *dör* om vi inte får frukost snart.

Hon hade en tokig liten grön fez på sitt röda hår, och hon föreföll att vara på ett överdådigt humör. Jag upptäckte för övrigt så snart jag kommit in i sällskapsrummet att stämningen över huvud taget stigit åtskilliga grader under natten. Carl Herman, som hade återgått till shorts, var visserligen en smula forcerat upp-sluppen, men även spelad glädje var i sanning att föredra framför gårdagens dysterhet. En lugn och alldeles normal Ann bar in ägg och bräckt skinka från köket med benäget bistånd av George, som i stället för fiskar och trampoliner nu exponerade en förfärligt storblommig Californiaskjorta i rött och lila. Lil var obeskrivligt chic i sin fez och en havsgrön helveckad råsidenkjol — det hon hade från midjan och uppåt var inte så mycket att det är värt ett omnämnande. Hon tycktes fördela sina gracer jämnt mellan de fyra herrarna. Einar log ett soligt leende och kallade mig sömntuta, och alla uppträdde precis så, som om föregående afton aldrig hade funnits till.

Vi åt och drack, och Einar sade att den nya solbrännan klädde mig, och Lil försäkrade att det var femtiosex grader varmt i solen och att hon inte tänkte gå ut förrän det blivit månsken, vilket i sin tur föranledde Carl Herman att citera Almquist, de Lorca och en rad andra månpoeter. Han var fortfarande poetisk när han tillsammans med Lil och George stormade köket för att trots Anns protester hjälpa till med disken.

Hettan var verkligen sådan att man tappade andan när man steg ut på gräsplanen. Jag sneddade den raskt och vek in på vägen ner till båthamnen. Det måste vara här jag tappat mitt armband; troligen hade det gått upp under min lilla brottning med George, och jag var besluten att finkamma hela stigen tills jag funnit det.

I klart solsken hade skogen inte längre något skrämmande, det var tvärtom ljuvligt att gå här inne i svalkan och stillheten. Åt det här hållet på ön föreföll det att vara övervägande granskog, och de mörka, täta granarna var på sina ställen nästan lika höga som tallarna. Mellan träden skymtade mossiga stenar, och vid foten av en väldig kulle lyste det plötsligt något gult. Sannerligen var det inte ett par tidiga kantareller! Gårdagens gråa teori hade med ens blivit lockande verklighet, och det var med barnslig glädje jag återvände ut på vägen med de små svamparna i handen.

— Se, där kommer äntligen en människa! Vi började nästan tro att ön var obebodd.

Georges häpnadsväckande uppdykande borde kanske ha gjort mig immun mot liknande överraskningar, men jag kände själv att

25

jag tappade hakan av misstrogen förvåning. Här trodde man att man befann sig på betryggande avstånd från alla mer eller mindre önskvärda visiter, och så visade det sig att det var värre trafik över Uvlången än i studentskekamrarna i Uppsala. Att detta nya besök var att hänföra till de mindre önskvärda förstod jag med clairvoyant intuition i samma ögonblick som jag såg de båda kvinnorna. Eller — för att vara fullt uppriktig — den ena av de två kvinnorna.

Det fanns alldeles för många vackra och erotiskt attraktiva människor redan på vår lilla ö för att det skulle vara riktigt trivsamt. Och den mörka, smärta dam, som just nu betraktade mig som om det varit *jag* som inkräktat på hennes område, var förmodligen långt farligare för karlarnas sinnesfrid, än den utmanande Lil någonsin kunde bli. Det svartblanka, släta håret var struket bakom högra örat men föll på den andra sidan helt konstlöst ner mot skuldran. Det ovala ansiktet dominerades av en djupröd fyllig mun och ett par fullständigt mandelformade grönsvarta ögon. Hon verkade trots de skrynkliga långbyxorna och den enkla skjortblusen som tagen ur någon exotisk kärleks- och passionshistoria, och om jag varit man visste jag att jag hade fallit ner och tillbett henne.

Det var en avgjord lättnad att finna att hennes kamrat såg mycket mänsklig och alldaglig ut. Hon var antagligen i trettioårsåldern, en mager, nästan benig kvinna med kortklippt brunaktigt hår och kloka blå ögon, som jag dunkelt tyckte mig känna igen. För ögonblicket torkade hon sig i pannan med en storrutig näsduk, som hon hittat i fickan på sina illa medfarna bruna byxor.

— Vi gick förbi, och då tyckte vi att vi skulle kila in och hälsa på. Se inte så förskräckt ut, ma petite! Strängt taget är vi gamla bekanta. Viveka Stensson heter jag, fil. lic. i litteraturhistoria, och mer lär jag aldrig bli i det här jordiska. Vi har faktiskt ätit igenom en doktorsmiddag tillsammans.

Åh, nu mindes jag. Hon hade suttit mitt emot mig på Gillet, och Einar och hon hade förefallit att vara mycket goda kamrater. Men vem . . .?

Viveka Stensson svarade på min outtalade fråga:

— Det där är Marianne Wallman, konsthistoriker och ung, begåvad skulptris på framåtgående.

Du store tid, Georges drömkvinna! Det här blev mer och mer

invecklat. Marianne Wallman räckte fram sin hand, och min hälsningsfras blev aldrig uttalad. Kring handleden hade hon mitt egyptiska armband!

Hon såg min blick och log.

— Jag hittade det här på vägen. Är det ert?

Jag nickade tyst och kände en oresonlig vrede mot denna överlägsna varelse, som hade plockat upp min lycka från vägen och nu gick omkring med den som om det varit hennes. Men artigt konverserande följde jag de båda besökarna upp mot stugan.

Einar och Rutger stod på gräsmattan till synes försjunkna i ett intensivt studium av det röda solparasollet. Så vände de sig om ...

Om det hade varit två vålnader ur graven, som närmat sig honom, kunde Rutger inte ha blivit blekare. Varje droppe av färg försvann ur hans ansikte, och ett ögonblick trodde jag att han skulle svimma. Han öppnade munnen som för att säga något men drog endast hörbart efter andan. Einar, som med ett uttryck av yttersta häpnad sett från de nykomna till Rutger, skyndade sig att tala i hans ställe.

— Det kan man sannerligen kalla en överraskning. Var kommer ni ifrån? Har ni trillat ner med fallskärm — eller är ni kanske bara hallucinationer i ökenvärmen?

Viveka satte sig pustande i gräset.

— Nog är då jag verklig, det är jag smärtsamt medveten om. Ont i benen har jag förut; nu har jag fått blåsor i händerna också. Och alltihop bara därför att den där tokan — viftning med den rödrutiga näsduken åt Mariannes håll — fått för sig att vi måste göra strandhugg på Lillborgen när vi nu ändå var i Bergslagen. Hon talade minsann inte om att Bergslagen är stort som Tibet och fullt av idel uppförsbackar, och ännu mindre talade hon om att ni bodde tiotals kilometer ut till havs och att hon själv inte gör sig överdrivet i en roddbåt. Men *jag* vill bara säga att tillbaka ror jag inte. Vill ni inte själva forsla oss över, får ni behålla oss här till döddagar.

Det kantiga, nästan fula ansiktet blossade av hettan och ansträngningen. Marianne Wallman såg däremot så sval och utvilad ut att det var ganska tydligt att hon verkligen låtit Viveka knoga ensam vid årorna. Den vackra, egensinniga munnen log en smula gäckande när hon lugnt såg Rutger i ögonen:

27

— Du ser inte odelat belåten ut... Vi kommer väl inte oläg-
ligt på något sätt?

Rutger behövde aldrig svara på denna samvetsfråga, för uppe
ifrån stugan hördes med ens Georges förtjusta röst:

— Så sant jag lever! Det är Marianne Wallman.

Han kom ilande med stora steg, och ingen kunde missta sig på
den glädje och beundran som lyste i hans blåa blick.

Marianne smålog roat, och Viveka stönade:

— Milde himmel! Har ni *den* figuren här?

Huruvida Lils förtjusning var lika äkta som Georges, var jag
inte i stånd att avgöra; hon kvittrade emellertid darling och ché-
rie om vartannat allt under det hon kysste Marianne ungefär på
alla de ställen hon kom åt. Carl Herman dunkade Viveka i ryg-
gen och kysste Marianne på handen, båda delarna med otvetydig
uppskattning av de bägge damernas olikartade personligheter,
och Ann-Sofis förbindligt älskvärda sätt antydde på intet vis hen-
nes känslor inför denna sista invasion på hennes domäner.

Rutger hade under tiden samlat sig och var i full färd med att
försäkra Viveka att de var synnerligen välkomna och att de abso-
lut måste stanna några dagar. På detta svarade Viveka med ett
uppriktigt tack och den sköna skulptrisen med ett Mona-Lisa-
leende, som i överensstämmelse med dylika leendens allmänna
karaktär sade varken ja eller nej. Ann trollade fram saftkobbels,
och Viveka berättade på sitt torrhumoristiska sätt om den cykel-
tur de gjort genom Dalarna och Värmland. Nu var de på hemväg
till Stockholm, där Marianne hade en beställning på ett förmöget
konsulshuvud och Viveka åter tänkte ta itu med sin mycket seg-
slitna avhandling om "Prästgårdarna i Sveriges litteratur". När
jag skrattande undrade om hon hade de rätta förutsättningarna
för ämnet förkunnade hon med en suck att hon var prästdotter
från Hälsingland — "syns det inte på mig?" — och att hon alltså
hade betydligt större förutsättningar att skriva om sitt ämne än
Rutger om Fredrika eller Einar om den heliga Birgitta.

— Vad håller du själv på med?

— "Fredrika Bremer och männen".

Det jubel, som mötte detta meddelande, var fullständigt re-
spektlöst mot både mig och den stora författarinnan. Mina paral-
leller till berömda verk sådana som "Goethe och kvinnorna" och
"Kvinnorna kring Tegnér" dämpade ingalunda den allmänna

28

munterheten och Einar frågade med en mycket spjuveraktig glimt i ögonvrån hur det förhöll sig med *mina* naturliga förutsättningar för ett så delikat ämne. Den misstämning jag vädrat vid de nya gästernas uppdykande hade av allt att döma förflyktigats.

De följande tre timmarna var de fridfullaste jag upplevat på Lillborgen. Einar föreslog mig att vi skulle ta ekan och ro ut på sjön för att bada, och jag kände att jag rodnade av glädje. Vi lämnade det övriga stojande sällskapet och slog in på den tysta stigen ner till båthamnen. Jag var för första gången ensam med föremålet för mina drömmar, och jag märkte själv att jag blev upphetsad och onaturlig och pratade på tok för mycket. Men så småningom slutade blodet att rusa runt med blixtfart i mina ådror, och Einars närhet fyllde mig med en stor trygghet.

Båthamnen gjorde verkligen skäl för sitt imponerande namn. Gråstensklipporna inne i den djupa viken bildade en naturlig stenkaj, och vid denna låg för tillfället inte mindre än fyra båtar förtöjda: Rutgers smäckra segelbåt, motorbåten, den vitmålade ekan samt en gråsvart gammal roddbåt, som förmodligen var den farkost, vari Viveka och Marianne anlänt. Einar gjorde loss ekan, och vi rodde ut på det blickstilla, spegelblanka vattnet. Därefter badade vi, solade, slöade och pratade, och antingen hade den brunögda gondoljären inga fel eller också var jag redan alltför kär för att upptäcka dem — i varje fall fann jag allt han sade och gjorde fullkomligt. Jag hyste ingen som helst önskan att återvända till Ön med dess svart- och rödhåriga sirener, men vid femtiden var vi trots detta åter hemma. Vi hade under hela turen inte med ett ord berört de andra medlemmarna i vårt sällskap. Av någon anledning hade vi båda ansträngt oss att glömma deras existens.

Det föreföll också som om de verkligen upphört att existera, i varje fall på Lillborgen. Ingen människa syntes till vare sig utomhus eller inne i stugan. Einar slog sig ner under parasollet medan jag tog en liten avstickare till mitt rum. Där inne rådde en sublim oreda. Fem par skor, det ena kokettare än det andra, uppfyllde en god del av golvytan, och båda sängarna blommade av oräkneliga fantasifulla klänningar, kjolar, behån, väskor och baddräkter. Jag flyttade på ett par svandunstofflor och sjönk ner på en av rummets två stolar. Hur skulle jag ha kunnat ana detta när jag i förmiddags sade att Lil gärna fick flytta in till mig så att

Marianne och Viveka kunde få gästflygelns ena ytterrum!

Det hördes röster därinifrån. En låg, mörk mansröst och en kvinnostämma. Hon lät fruktansvärt upprörd, och med ens trängde hennes ord med skrämmande tydlighet genom den tunna väggen.

— Tror du att det är lättare för mig? Förstår du inte att det är både ditt och mitt liv du har förstört! Om du inte . . .

Jag rusade ut. Dörren bredvid min var omsorgsfullt stängd. Vad var det som försiggick därinne? Jag hade oroat mig för att vår semestertrevnad skulle kunna störas av några små misshälligheter och en smula obetänksam flirt på fel ställe, men det jag nu råkat snudda vid var många gånger allvarligare än så. Den röst jag hade hört hade skälvt av desperation och lidelse, och jag undrade uppskakad vem den hade tillhört. Marianne eller Lil? För inte kunde det väl vara den humoristiska förståndiga Viveka? Eller . . . var det tänkbart att jag kommit mitt i en uppgörelse mellan Ann och George? Jag erinrade mig nattens egendomliga tilldragelse, och det hela föreföll mig mer och mer obehagligt.

Einar syntes inte till när jag kom fram till stugan, och jag var glad att jag fick tillfälle att hämta mig. Hur länge jag suttit ensam i fåfänga grubblerier vet jag inte, men så småningom uppenbarade sig Rutger och Einar, och kort därpå vimlade gräsplanen återigen av folk. Ann lagade middag på rekordtid, och snart satt vi bänkade i sällskapsrummet. Jag iakttog förstulet mina bordsgrannar. Det var tydligt att barometern på nytt visade oväder, även om alla strävade efter att behärska sina innersta känslor bättre än de gjort föregående kväll. Anns kinder hade en mycket hög färg, och Lil var onaturligt stum. Hon smulade sönder ett helt bröd mellan fingrarna och intresserade sig inte för någon av herrarna. Marianne, som arrangerat en blodröd sidenscarf över sin vita blus, vilket kom henne att se frappant exotisk ut, var däremot ytterst språksam. Hon flirtade öppet med George, som satt mitt emot henne vid bordet, och han var bara alltför villig att delta i leken. Lika ofta vilade emellertid hennes outgrundliga blick på den nästan fullständigt tigande Carl Herman. De som sörjde för bordskonversationen var Viveka och Einar, och när vi reste oss från bordet drog samtliga en suck av lättnad.

Sällskapet upplöstes genast i kotterier. Jag såg Marianne räcka ut sin hand mot George och skrattande locka honom ut på en promenad. Det blänkte till av tungt guld på hennes arm. Mitt armband som jag aldrig fått igen! Jag öppnade munnen för att säga något, men den smärta gestalten försvann i skogen. Den röda sidenduken lyste i skymningen.

George och Marianne? Jag kunde inte längre finna något sammanhang i det invecklade spel, som bedrevs omkring mig. Strängt taget intresserade det mig inte heller att försöka lösa dess problem så länge Einar Bure bara föreföll att stå utanför dem ...

Tredje kapitlet

Jag vaknade på fredagsmorgonen med en brinnande huvudvärk. Åskan mullrade borta över bergen, och de senaste dagarnas intensiva solsken hade ersatts av en låg, blågrå himmel. Men inte en regndroppe föll från de tunga molnen, och den kvava värmen lade sig som järnband över mina tinningar. Jag vacklade upp och hittade efter mycket sökande bland Lils alla puderaskar och skönhetscrèmer en ask albyltabletter. Lil själv var lyckligtvis utflugen. Hon var tydligen morgonpigg trots sina sena vanor; ett faktum var att jag varken hört henne lägga sig eller stiga upp igen.

Vid frukosten visade det sig att det inte bara var jag som led av den tryckande atmosfären. Alla verkade mer eller mindre duvna, Lil gäspade och surade, till och med Viveka var blek och hängig, och Ann, som hade migrän, såg ut att plågas av varje ljud i omgivningen. George bildade det en smula irriterande undantaget, han utstrålade hälsa och belåtenhet med tillvaron, och man förstod att det behövdes grövre artilleri än ett litet åskväder för att dämpa hans kärnsunda vitalitet.

— Om man inte har något huvud kan man förmodligen inte heller ha ont i det, suckade Viveka när George med en bullrande energi, som gick oss alla på nerverna, störtade upp och ut och ner i källaren för att hämta mera dricka.

Det var mot slutet av måltiden, som Marianne lät bomben springa.

— Jag reser i dag, sade hon lugnt, och de mandelformade ögonen betraktade en punkt ovanför Georges vackra huvud. Jag skulle vara tacksam om någon ville sätta mig över.

I den fullständiga tystnad, som följde, hördes plötsligt ljudet av glas, som krossades. Carl Herman såg i högsta förvirring ner på bitarna av det dricksglas han höll i handen.

— Så jag bär mig åt, mumlade han.

Mitt under den verksamhet, som nu utvecklades för att sopa upp glasskärvor och undersöka Carl Hermans fingrar, bestämdes det att George skulle köra Marianne över i motorbåten så att hon kom lagom till tretåget. Och min av albylen halvt bedövade hjärna trädde långsamt i funktion.

— Mitt armband? sade jag en smula uppfordrande.

Marianne såg på sin högra handled, och när hon vände sig till mig var det vanligen så arroganta ansiktet uppriktigt förbryllat och beklagande.

— Armbandet, det . . . det måtte jag ha tappat.

Situationen klarlades för de övriga. Marianne erkände att hon blivit så förtjust i det ovanliga och vackra smycket att hon inte gärna velat skiljas ifrån det, och så hade hon halvt omedvetet "glömt" att återlämna det till mig.

— Hade du det kvar när du klädde av dig i går kväll?

Hon tvekade en sekund. Därefter strök hon med en nervös gest en obefintlig hårslinga bakom örat.

— Nej. Nej, jag tror inte det. Det måste ha varit borta redan då.

Viveka öppnade munnen som för att tala men ändrade sig och slöt den åter så hårt att läpparna bildade ett fint streck. Men George hade ett bidrag att komma med.

— Jag vet säkert att du hade det kvar när vi skildes åt här utanför vid elvatiden i går kväll. Kanske det ligger på gräsplanen?

Men armbandet var och förblev borta. Ett ögonblick misstänkte jag förgrymmat Marianne för att vara en simpel tjuv, som försökte rymma med mitt guldarmband, men strax därpå insåg jag att smycket egentligen var mig ganska likgiltigt sedan Marianne i alla fall kommit och stulit dess förmåga att bringa mig lycka. Jag var nästan glad att jag slapp se det mer.

Åskbullret ljöd allt avlägsnare, och Einar lockade mig med ett dopp nere vid badbryggan.

— Det är aldrig så skönt i vattnet, som när åskan går.

Det var verkligen skönt, och jag kände den sista resten av min huvudvärk försvinna.

— Orkar du simma över till fastlandet?

Jag mätte avståndet och nickade, och vi sträckte ut över sundet. Där ute var Uvlången mörk och mycket kall, och jag höll mig så nära Einar jag kunde. Hans bruna kropp lyste ännu bru-

33

nare genom vattnet, och han andades jämnt och tryggt. På den andra stranden hittade vi en flat klipphäll, och jag lade mig flämtande på ryggen.

— Det var härligt, men jag skulle aldrig våga göra en sådan här tur ensam. Inte därför att jag är rädd att drunkna, egentligen. Men jag är rädd för vad det kan finnas under mig, nere i djupet. Det drar så underligt och hemlighetsfullt . . .

— Det är väl inte Näcken du är rädd för? retades Einar.

— Nej. Det är nog Uvlången själv. Den verkar så levande ibland. Och ingen vet ju vad den döljer under sin lugna yta . . .

Einar såg en aning bekymrad ut.

— Om det är någon som har en morbid fantasi är det bestämt du. Är du inte spökrädd också?

Bakom oss hade vi den täta storskogen, och så småningom vandrade vi på upptäcktsfärd dit in. Mina bara fötter stack sig på grankottar och barr, men emellanåt trampade de också på mjuk mossa, och vi gick längre och längre in i en förtrollad värld. Einar visste allt om fåglar och växter, och jag frågade förundrad hur han kunde vara så hemmastadd i denna sagomiljö. Han talade då om att han själv var från Bergslagen, från den lilla staden Skoga, som jag hade passerat på min väg till Forshyttan. Jag kom mycket väl ihåg den gammaldags, hemtrevliga stationen och den vackra kyrkan vid stranden av en idyllisk liten insjö. Så naturligt det var att Einar med sin harmoni och sin trygghet hade sina rötter i en sådan bygd! Han berättade förälskat om staden och dess människor, om sjön, där han lärt sig simma, och om skolan, där han varit klasskamrat med Rutger, och jag lyssnade om möjligt ännu mer förälskat. Timmarna gick, och när vi åter stod på Lillborgens badbrygga kände jag att det snart var tid för middag.

George vankade som en osalig ande omkring på gräsplanen och klagade över att alla människor var försvunna. Själv var han för övrigt som uppslukad av jorden när jag efter en stund återkom, klädd i jumper och långbyxor. Vid den södra horisonten hade himlen blivit allt mer svartblå, och åskvädret föreföll inte att vara långt borta. Jag gick in i sällskapsrummet och hörde plötsligt Ann ropa mitt namn. Försiktigt sköt jag upp dörren till sängkammaren och fann en blek och förstörd Ann, som såg tio år äldre ut än hon sannolikt var. Hon hade en gnistrande huvudvärk och var rörande tacksam när jag lovade att ordna middagen.

Källaren var ytterst välförsedd, och jag plockade med mig både konserverade köttbullar, svampburkar, ägg och grönsaker, varefter jag fylld av husmoderligt ansvar skred till verket. Efter en stund kom Einar till min undsättning, och den närmaste timmen läste vi kokböcker, gjorde soppor och stuvningar och hade gudomligt roligt. Och trots att Einar försäkrade att ingen ansvarskännande man någonsin skulle våga gifta sig med en kvinna, som hade sådan smak för vådliga kulinariska experiment som jag, fick vi slutligen ihop en mycket tilltalande måltid. För att skona Anns nerver dukade vi ute på gräsplanen och vårt humör var så glänsande att vi inte ens lät oss nedslås av den minimala uppskattning vår meny rönte.

Det gick nämligen inte att blunda för att samtliga gäster endast petade i maten. Själve George hade förlorat sin friska aptit; var det Mariannes avresa, som tagit honom så hårt? Ann stannade på sitt rum, och Rutger anlände över huvud taget inte förrän vi redan ätit oss igenom varmrätten. Han mumlade någonting om motorbåten och gjorde för övrigt intet för att lätta upp den helt och hållet begravningsaktiga stämningen. Det behövdes sannerligen de fonder av ljust humör, som Einar och jag lagrat, för att inte också vi skulle bli fullständigt nedtryckta. Det var med uppriktig glädje vi retirerade till köket för att diska.

— Eje, vad är det egentligen med dem? Inte kan väl hettan bringa en hel samling människor så grundligt ur gängorna?

Det magra ansiktet mörknade en sekund, men han svarade mig inte.

— Vi bryr oss inte om dem. Vi tar en promenad upp till Stupet i stället när vi är klara med det här!

Det ville jag naturligtvis gärna.

Vägen till Stupet gick genom tät skog och nästan diagonalt över ön. Jag hade inte tidigare förstått hur stor Ön egentligen var, men den väg vi nu tillryggalade var säkert tre kilometer lång. Slutligen närmade vi oss ett berg, som faktiskt var mycket lättare att bestiga än det Rutger släpat mig upp för för ett par kvällar sedan. Utsikten från toppen övertygade mig dock hastigt om att vi nu befann oss en bra bit högre än då. Inga träd växte här uppe, däremot var det tydligt att här skulle komma att bli gott om lingon. Berget stupade på ett egendomligt och oförmedlat sätt

35

fullkomligt lodrätt ner i vattnet. Liggande på magen såg vi ner i djupet under oss, och till Einars förtjusning ryste jag naturligtvis så att huden knottrade sig.

— Stupar det lika brant under vattenytan måste det ju vara minst hundra meter till botten?

Einar drog försiktigt upp mig på fötter igen och bad mig i stället betrakta utsikten.

— "Blicka ej ständigt ner i djupet, o Narkissos; se, över dig är himlen blå!" deklamerade han med ett visst allvar.

Nå, blå var den ju inte, men tavlan var ändå väl värd att beskåda. Uvlången hade antagit himlens svartgrå färg, och ett otal små vågor visade att det efterlängtade regnet var i antågande. Vi insöp under tystnad den friska sjö- och skogsluften, och jag blev plötsligt mycket medveten om Einars närvaro. Kände han ingenting av den oro, som jäste inom mig? En smula nervös var han i alla fall, det syntes på hans sätt att oupphörligt tända sin pipa för att sekunden därefter låta den slockna igen. Med en otålig rörelse stoppade han den tillbaka i fickan och föreslog att vi skulle ta orienteringskapplöpning ner till båthamnen, som vi hade rakt i söder.

Det blev en uppfriskande och rolig språngmarsch, som dock höll på att sluta med en vrickad fotled. Jag hade klarat den branta bergssluttningen utan missöden och ropade övermodigt till Einar att jag tänkte vinna när jag helt plötsligt låg raklång i mossan med en fot, som verkade underligt avsomnad. Långsamt satte jag mig upp, men Einar var redan i full färd med att varsamt undersöka min vrist. Jag slöt ögonen och överlämnade mig åt njutningen att känna beröringen av hans starka fingrar.

Minuten efteråt gungade hela marken och hjärtat upphörde att slå, och jag visste att jag aldrig förr vetat vad det ville säga att bli kysst.

Jag öppnade ögonen och fann att bruna ögon är allra vackrast när de är svarta.

— Gud vare lov, mumlade jag, jag började bli rädd att du hade bestämt dig för att behandla mig som någon sorts kysk och okränkbar vestal ...

— Det är nog ungefär vad jag har försökt också. Men det har sannerligen inte varit lätt. Och när du sedan placerade dig här med slutna ögon och en mun, som direkt inbjöd till kyssar, måste

36

jag ju ... *Var* det kanske det du satt och väntade på hela tiden?

— Nej, sade jag milt, jag tror att jag hade givit upp hoppet ...
Och en stund senare: Varför försökte du spjärna emot, Eje? Är du rädd för kärleken?

— Neej, men rädd att leka med den kanske.

— Bränd?

— Jag har sett andra bränna sig. Grundligt. Och jag har lovat mig att inte lättsinnigt dra in varken mig själv eller någon annan människa i någonting, som jag inte helhjärtat vill stå för ...

— Och nu har du svikit dina principer!

— Varför utgår du från att jag har svikit dem?

— Einar ... Det där var nästan ett frieri.

— Det *var* ett frieri, Puck!

Ett grått moln hängde ovanpå grantopparna, och jag kände att jag ville gråta.

— Jag är nog mycket kär i dej, Eje ...

— Och jag är rädd att det här är ett ganska ömkligt frieri. Men skulden är faktiskt din. I närheten av dig blir jag tafatt och blyg ...

Men den lidelse, varmed han drog mig till sig, gjorde mig yr och tog andan ifrån mig, och jag var oförnuftigt lycklig och visste innerst inne att det hela var för stort och underbart för att jag skulle våga tro på det.

Det var också med ett visst resignerat lugn jag hörde drömmen trasas sönder av kvistar, som knäcktes, och steg, som närmade sig. Jag kysste Einar på nästippen och reste mig upp lagom för att nicka åt en med fiskedon alldeles behängd Rutger, som med illa dold häpnad betraktade oss. Och häpnaden blev alltigenom förklarlig när man såg Einars förvirring. Han *var* tydligen blyg, och hans situation förbättrades ingalunda av att vi alla tre samtidigt upptäckte att ungefär halva min angorajumper numera satt på hans mörkgröna sportjacka. Men Rutger uppträdde med den fulländade gentlemannens takt och oberördhet.

— Jag har letat efter er, sade han. Jag tänkte jag skulle få sällskap ut på en fisketur. Det är idealiskt fiskeväder.

Han hade rätt; regnet hängde vid det här laget i luften. Einar, som antingen inte visste vad han sade eller också i sin upprördhet verkligen var rädd att på nytt bli lämnad ensam med mig, skyndade sig att försäkra att han för tillfället inte hade någon hetare önskan än att få ro ut och meta, men jag framhöll att kvinnor i båtar medförde otur och lovade i stället att ta hand om gäddorna när de hunnit till köket. Rutger, som verkade lika belåten, var redan på väg ner till hamnen medan Einar mest av allt påminde om den berömda åsnan mellan två tappar. Så började det glittra i de allvarliga ögonen, och med full uppskattning av scenens humoristiska poänger böjde han sig ner och kysste mig hastigt och ömt. Hans närhet uppfyllde mig, långt efter det att han försvunnit mellan granarna.

Jag strövade långsamt genom skogen, försjunken i mitt eget ganska omtumlade inre. Einars kyssar och smekningar hade i själva verket väckt till liv känslor inom mig, som skrämde mig en smula genom sin styrka. Aldrig hade jag känt mig så levande och full av pulserande förväntan, och jag slog armarna om en vitstammig björk och lyssnade till mitt hjärtas slag.

Då kom regnet. Utan förberedande varning vräkte det plötsligt ner som en vattenridå. Jag såg nätt och jämnt en meter framför mig när jag genomvåt och ganska förskräckt ansträngde mig att återfinna vägen upp till stugan. Jag hade varit för absorberad av min ljusa lycka för att tänka på skogens och kvällens mörker, men nu kastade sig rädslan över mig. Jag snubblade över stenar och fastnade i granarnas risiga armar, och skymningen och regnet i förening suddade ut alla konturer och prisgav mig åt ensamheten och skräcken i en oigenkännlig och spöklik värld. Det tjöt och viskade mellan träden medan blåsten böjde tallstammarna som om de varit vassrör.

Regnet övergick i skyfallsliknande hagel, och jag förstod mera med min instinkt än med mitt förnuft att jag måste söka betäckning någonstans i denna förfärliga skog tills det värsta ovädret dragit förbi. Jag letade i dunklet efter en lämplig gran, och plötsligt fann jag den. Dess täta grenar släpade ända ner på marken; där inne måste det vara både torrt och lugnt. Med samma känsla som när ett barn drar täcket över huvudet för att slippa se och höra alla fasor omkring sig, lyfte jag på en av de tunga grenarna och kröp in.

Av någon anledning tycktes mig luften tung att andas, och med ens visste jag att jag inte var ensam under granvalvet. Jag höll andan och lyssnade, men vad jag hörde var endast haglets trummande och stormens tjut. Efter många minuter sträckte jag ut handen och rörde vid något mjukt — ett tyg av något slag. Mekaniskt trevade jag vidare och fann med en isande känsla ända in i hjärtat att jag satt och smekte ett människoansikte — en onaturligt stilla och orörlig människas kalla ansikte!

Långsamt drog jag mig baklänges ut genom granväggen, och när skymningens sparsamma ljus föll på mitt fynd stirrade mina skräckslagna ögon in i ett par andra ännu mer vidöppna. Endast med möda registrerade min hjärna vad blicken såg: en mörk hårslinga över en naken arm, en röd sidenscarf som ett blodigt rep omkring en mycket vit hals och ett par svarta ögon, som till hälften trängde ut ur sina hålor.

Det rådde intet tvivel om att Marianne Wallman var död — strypt med den röda scarf hon själv brukat bära över sina vackra axlar.

Fjärde kapitlet

Den varelse, som stod där i ösregnet bredvid granen och apatiskt stirrade på en av dess täta grenar, hade inte längre någonting gemensamt med Puck Ekstedt från Uppsala. Jag är säker på att Puck skulle ha skrikit eller gråtit och att hon med alla medel skulle ha försökt återvinna kontakten med människor — levande människor — så fort som möjligt. Den främmande kvinnan vid granen gjorde ingenting av detta. Hon endast stod där och kände haglen piska sin hud och vattnet strömma utefter sin kropp. När hon slutligen vände och gick därifrån var hennes steg dröjande och osäkra, men hon gick utan att tveka om riktningen åt det håll, där skogen syntes glesast, och stod mycket snart nere på den väg, som ledde från stugan till båthamnen. Här stannade hon och såg sig tillbaka, och det föreföll som hon ansträngt sig att ännu en gång urskilja den stora granen genom regnet och mörkret. Därefter fortsatte hon, långsamt och nästan motvilligt, uppför vägen. Från båda sidor smög sig mörker och skuggor fram emot henne, men hon märkte det inte. Utanför stugan dröjde hon ett ögonblick. Skjutdörrarna var ordentligt fördragna, och det var bara från biblioteksfönstret som det silade ut ett gult ljus. Hon gick emellertid förbi, och mörkret uppslukade henne på nytt.

Jag tror inte jag blev mig själv förrän jag med samma sömngångaraktiga lugn klätt av mig de genomsura och klibbiga plagg jag burit och fått på mig de varmaste kläder jag kunde finna i garderoben. Jag drog just en kam genom mitt våta hår och försökte med hjälp av den flyttbara fotogenlampan granska mitt utseende i spegeln. Anblicken av ett fullständigt kritvitt ansikte kom mig att snyfta till, och därefter var det som om allting lossnat. Jag kände hur hjärnan började arbeta samtidigt som mina magnerver drog sig samman i ett häftigt illamående. Ögonblicket därefter var skräcken över mig. Jag slet till mig en regnkappa och rusade besinningslöst ner mot stugan. En blåvit blixt delade

40

rymden just som jag sköt upp den tunga dörrhalvan och tumlade in i sällskapsrummet.

Värmen och ljuset och den bild av hemtrevnad, som mötte mig, var förvirrande och bländande. Lillborgen hade väl aldrig förefallit så ombonad och trivsam som denna ruskiga kväll. En fotogeneldad takkrona sörjde tillsammans med två bordslampor för en mild och behaglig belysning i det stora sällskapsrummet. Ann och George bildade ett mycket vackert par i soffan mellan fönstren medan Lil, Carl Herman och Viveka satt bekvämt nedsjunkna i de gröna fåtöljerna framför brasan. Jag måtte emellertid ha utgjort ett störande inslag i idyllen, för deras samtal avstannade hastigt och alla fem stirrade vantroget på mig.

— Milda makter! Vad är det med dig? Du ser ut som om du hade mött ett spöke. Lils gulstrimmiga ögon uttryckte den mest oförställda häpnad.

Men Carl Herman hade redan fått av mig den våta kappan och försiktigt lett mig till sin stol. Nu låg han på knä framför mig och gned mina iskalla händer mellan sina. Jag kände att de alla väntade på en förklaring, och jag gjorde en våldsam ansträngning att få rösten att låta stadig.

— Jag, jag har ...

En ny blixt slet sönder mörkret utanför fönstren, och det nästan samtidiga brakandet slet lika obarmhärtigt i mina trasiga nerver.

Jag skrek högt. Viveka lade lugnande sin hand på min arm och sade nyktert:

— Ni ser väl att hon är åskrädd. Och jag undrar sannerligen inte på det. Jag *kan* tänka mig roligare saker än att sitta på en ö mitt i en stor sjö när åskan går på allvar.

Carl Herman såg fortfarande bekymrad ut.

— Hon fryser ju så hon skakar. Var har du konjaken, Ann?

— I källaren. Ann lät själv inte så värst modig inför tanken att behöva gå ut i detta mörker. Jag tänkte att Rutger skulle komma ...

Rutger ... Jag erinrade mig att jag för århundraden sedan hade skilts från Rutger och Einar, som skulle ut och fiska, och en våg av oro sköljde genom mig.

— Har de inte kommit tillbaka?

— Kommit tillbaka? Vilka?

41

— Eje och Rutger. De är på sjön.
— På sjön! I det här vädret!

Det var alltför tydligt vad de tänkte, och jag var medveten om att jag snart inte stod ut med mycket mer.

Som en materialisering av våra tankar trädde emellertid minuten efteråt en sjöblöt Rutger in genom dörren, följd av en formlig störtskur av väta.

Nu pratade alla i munnen på varandra, men Rutger måtte ändå ha hört min framviskade fråga, för han omtalade med speciell adress åt mitt håll att Einar bara gått upp till gästflygeln för att byta kläder. Ann utbad sig att Rutger innan han gjorde detsamma skulle företa en expedition till källaren efter groggvirke, och utrustad med en ficklampa störtade han med en grimas åter ut i ovädret.

Jag drog upp benen under mig i stolen och slöt ögonen. Brasan knastrade rogivande, och jag ansträngde mig att hindra en envis tanke att arbeta sig fram till fullt medvetande. Så hällde Carl Herman i mig en myckenhet stark konjak, och jag började känna mig mer normal. Och när Einar blåste in med sitt bruna hår lockigt av regnet och med ett par ögon, som omedelbart sökte mina, vågade jag till och med tänka den malande tanken till slut. Jag ville viska den i Einars öra och sedan slippa ha något med den att göra:

— Marianne har blivit mördad. *Och det måste vara någon av oss, som är mördaren!*

Men i ett rum, som är fyllt av åtta människor, ges det just inga tillfällen att viska fram hemligheter, och jag fick nöja mig med att Einar slog sig ner på en stol tätt bredvid mig. Lil och Carl Herman skyndade sig att berätta att jag var halvt ihjälskrämd av åskan, och Einar såg på mig med ungefär lika delar ömhet och retsamhet i blicken.

— Rädd för sjön och skogen och åskan och blixten och jag vet inte vad. Hade du någon barnjungfru, som utsatte dig för psykisk tortyr när du var liten?

— Alla kan ju inte ha dina nerver, sade Carl Herman lätt förebrående. När jag hade tagit del av dina åtta mord sov jag en hel vecka med lika många lampor brinnande i mitt sovrum.

Ann hade tydligen lyssnat till konversationen framme vid brasan trots att hon själv ordnade med något i andra delen av rummet, för nu avbröt hon irriterat:

— Jag tycker sannerligen att ni kunde välja lämpligare samtalsämne. Det är en ovanligt ruskig kväll och ett åskväder, som inte precis inbjuder till skämt.

— Karlar har alltid ett sådant underligt skämtlynne. Viveka skakade på sitt kortklippta huvud. Men när de har hunnit till stadiet spök- och gasthistorier går i varje fall *jag*.

De pratade och skrattade precis som vanligt. Och ändå måste det ju här inne finnas någon mer än jag, som på sin näthinna såg en mörk gran och ett par stirrande, döda ögon. Varför i alla rimligheters namn hade för resten denna någon utvalt en gran som gömställe när hela Uvlången erbjöd sin skyddande yta?

Mitt i fasan och skrämseln började jag erfara en annan känsla, som jag först inte kunde analysera men som jag snart med en viss skamsenhet igenkände som oförfalskad nyfikenhet. Den ena halvan av min hjärna påpekade att det här inte rörde sig om en av Einars detektivromaner, men den andra formulerade i allt raskare takt en mängd frågetecken.

Marianne hade av allt att döma aldrig kommit i väg in till tretåget. Var det inte George, som skulle ha kört henne? Jag stirrade med runda ögon på den olympiskt sköna gestalten, som för övrigt — det märkte jag först nu — var kostymerad i ett par helt städade vita långbyxor och en milt blå skjorta. Han var som vanligt Anns artige kavaljer och nalkades i detta ögonblick brasan för att bjuda runt grogglasen. Jag drog djupt efter andan, och när han lutade sig ner mot mig uttalade jag halvhögt sex små ord, som tycktes mig så innehållsmättade att jag knappat kunde få dem över mina läppar:

— Kom Marianne i tid till tåget?

De vackra anletsdragen mulnade en aning.

— Jag körde henne aldrig, sade han kort och hade sekunden därpå vänt mig ryggen.

Einar, som i varje fall hade uppfattat Georges svar betraktade mig frågande. Medan Lil och Carl Herman, som satt närmast, skramlade med glas, konjak och vichyvatten bad jag hastigt Einar:

— Fråga dem vad de hade för sig mellan frukosten och middagen!

Jag förstod av den lätta rynkan mellan ögonbrynen att Einar

43

inte bara var häpen utan också orolig för mitt sinnestillstånd, men jag hade räknat rätt när jag antagit att det inte längre behövdes några vidlyftiga förklaringar oss emellan. Han väntade tills den belåtna tystnad inträtt, som brukar lägra sig över ett sällskap sedan alla inmundigat de första klunkarna ur gyllenbruna och välfyllda grogglas. Jag hade vridit min stol så att jag hade en god överblick inte bara över Carl Herman och Lil, vars gröna manchestersammetsbyxor smälte exakt samman med fåtöljen i vilken hon satt, utan också över de fyra andra, som placerat sig på den väggfasta hörnbänken invid matbordet.

— Puck och jag gjorde en härlig simtur efter frukosten. Vi var över till andra sidan av sundet och strövade runt i storskogen. Han berättade några roliga episoder och frågade till sist mycket naturligt: Och vad hade ni för er hela eftermiddagen?

Lils pupiller smalnade, och jag blev inte klok om hon log åt Carl Herman eller om hon — bildligt talat — fräste åt honom.

— Carl Herman släpade mig runt ön. Ni vet, uppför berg och nedför berg på vägar, som inte är några vägar, bara för nöjet att hela tiden se vatten. Jag hoppas att jag åtminstone magrade ett par tre kilo på kuppen.

Trots att samtalet gjorde åtskilliga avvikelser åt olika håll kom det så småningom fram att Ann legat hemma med huvudvärk medan Rutger varit ute med motorbåten. Viveka erkände villigt att hon, sedan hon sagt adjö till Marianne, helt enkelt lagt sig att sova, och George tycktes bekräfta de övrigas uppgifter då han intygade att han tillbringat åtskilliga timmar ensam nere på badbryggan. Av detta hade jag inte blivit mycket klokare. Jag beslöt i stället att på något sätt försöka få tala med Einar i enrum. Men det fortsatte att åska och blixtra, och alla satt fastklistrade, där de en gång slagit sig ner.

Först vid tolvtiden hade ovädret dragit förbi så pass att det började bli tal om att gå till sängs. Regnet vräkte emellertid fortfarande ner, och ett rendez-vous utomhus föreföll inte lockande. Medan de andra drog sig ut i köket för att avsluta kvällen med en snaps och en smörgås smög jag därför in i biblioteket, och även denna gång hade jag bedömt Einars intuition rätt. Inom ett par minuter följde han efter. Han stängde försiktigt dörren, och äntligen hade jag hans trygga armar omkring mig. Hans läppar sökte häftigt mina, men trots att jag längtade efter honom med varje

44

del av min kropp var jag stel och underligt passiv inför hans närmanden.

— Puck, käraste, vad är det? Är det jag, som har skrämt dig?

— Å, Eje! Det är så förfärligt. Marianne är död. Hon ligger under en gran med en röd sidensnodd om halsen, och jag var där. Förstår du? Hon är strypt! Mördad av någon av oss.

Det tog i dörren, och vi flög ifrån varandra som om det varit vi, som varit brottsliga. När Rutger kom in stod jag försjunken i ett intresserat betraktande av en liten statyett på hans skrivbord.

— Tycker du om den? hördes den lugna, en aning släpiga stämman bakom mig. Det är ett av Marianne Wallmans vackraste arbeten.

Först nu upptäckte jag vad det var jag stod och stirrade på. Det var en halvannan decimeter hög grekisk gossegestalt av en säregen och vemodsfylld skönhet. Det rena ansiktet var djupt tragiskt, och i ena handen höll han en nedåtvänd fackla.

— Eros-Thanatos, kommenterade Rutger lågmält. Dödsguden som bär kärlekens drag. Jag är mycket fäst vid honom.

Jag vågade inte se på Einar, och vi gick tigande ut till de andra. Men när vi tagit på oss alla våra ytterplagg för att forcera stigen fram till gästrummen märkte jag att han prövande betraktade min genomskinliga plastic-kappa, och jag nickade ett stumt samförstånd. Inte ens regnet kunde längre hindra mig att ge honom del av mina upplevelser och funderingar.

Medan vi båda två blev allt våtare och kallare och medan Uvlången skrek och stönade någonstans vid våra fötter berättade jag så min fantastiska historia för Einar. Han lyssnade koncentrerat, och när jag tystnat uttalade han den enda slutsats, som var på sin plats men som jag märkligt nog aldrig ens kommit att tänka på:

— Vi måste försöka få hit polisen. Fast himlen vete hur det ska gå till. Jag förmodar att det är till fjärdingsmannen man ska vända sig när det inträffar sådana här saker, så vi får väl gå i författning om att leta upp en sådan.

— Men, sade jag fullständigt asocialt, då kommer han att fängsla någon här på ön. En av dina egna kamrater!

Det var antagligen tur att jag inte kunde se Einars blick, och han föredrog att tiga ihjäl min anmärkning. Han grubblade i stället över den bästa möjligheten att på ett diskret sätt ta sig in till Forshyttan, och jag insåg lättad att han och den hypotetiske fjär-

45

dingsmannen redan var i färd med att befria mig från allt vidare ansvar i saken. Vi beslöt, det vill säga Einar beslöt till sist att han skulle vänta tills det blev något ljusare och att han då skulle fara över med motorbåten för att försöka alarmera de lokala myndigheterna. Han verkade inte pigg på att ha mig med, men inför mina hysteriska böner gav han vika, och efter några utpräglat vattendränkta kyssar skildes vi utanför gästflygeln.

Lil mumlade ett sömnigt godnatt och drog filten över huvudet, och jag skyndade mig att släcka lampan och krypa ner i min säng. Förvissningen om att ha Einar på andra sidan väggen höll den värsta skräcken borta, och jag måtte till och med ha slumrat till ett tag, för mycket snart fann jag att klockan var över tre och att natten var förbi. Lil sov tungt men jag klädde mig ändå med yttersta försiktighet. Båda mina långbyxor var genomsura, och jag kunde inte hitta något bättre att sätta på mig än en vit klänning och en jättelik gul yllekofta, som egentligen är ett mycket sorgligt vittnesbörd om mina färdigheter i stickning.

Einar väntade redan på mig, och vi startade i riktning mot båthamnen. Himlen var åter hög och klar, och endast det våta gräset skvallrade om kvällens skyfall. Jag frös i den morgonkyliga luften, och då vi närmade oss den punkt på vägen, varifrån jag visste att man kunde skymta en speciell, stor och tät gran, kände jag mig ordentligt illamående. Till min lättnad kom Einar emellertid inte med några förslag att vi skulle besiktiga fyndplatsen, och när han fått fart på den stora motorbåten och med god hastighet styrde ut ur hamnen andades jag för en stund friare.

Först när vi redan siktade Uvfallet föröver frågade jag:

— Vad tror du, Eje?

— Om — Marianne? Vad man än tror, så verkar det ju lika absurt. Naturligtvis var hon en mycket ovanlig kvinna, och hon hade säkert förmågan att uppväcka heta känslor av både det ena och det andra slaget. Men att någon av de sex, som vi lämnat efter oss på Lillborgen, skulle ha hatat henne tillräckligt för att vilja strypa henne, tycks mig alldeles obegripligt.

— Kände du henne väl?

— Ja och nej. Marianne Wallman kände man inte väl om man inte haft en kärleksförbindelse med henne, och i den situationen har jag — lyckligtvis — aldrig varit. De bruna ögonen var djupt allvarliga, och plötsligt sträckte han ut en arm och drog mig till sig.

— Eros-Thanatos, mumlade han. Kärlek och död. Du måtte ha haft en fruktansvärd kväll, liten.

Båten tog land, och det blev ingen tid för kärleksförklaringar. Klockan var inte mer än fyra, och på Uvfallet syntes inga tecken till liv. Einar bultade emellertid oförskräckt på dörren till dess den öppnades av en skinntorr kvinna i ett randigt nattlinne och med det gråa håret i en tunn råttsvans på ryggen. Hon var överraskande vänlig och omtalade dels att fjärdingsmannen hette Guss Olsson och bodde i själva Forshyttan, dels att det inte gick att väcka honom per telefon eftersom växeln inte öppnades förrän klockan åtta. Slutligen vågade hon sig fram med den fråga, som redan länge bränt henne på läpparna.

— Är det något som har hänt ute på Ön?

— Vi har gjort ett mycket egendomligt fynd i skogen, och nu vill vi att polisen ska titta litet närmare på det, sade Einar med ett tonfall som om han invigt fru Larsson i sina djupaste hemligheter. Därefter retirerade han hastigt, överlämnande åt hennes egen fantasi att pendla mellan dolda guldskatter, lönnbrännarnästen, blodiga lik och kalvar med fyra huvuden. Efter en rask gångmarsch till Forshyttan orienterade vi oss med mycken möda fram till den olssonska gården. Här upprepades dörrbultningsceremonien, men trots att klockan nu hunnit bli fem verkade den vresige och sömnige man, som sent omsider uppenbarade sig, nästan farlig i sin morgonsurhet. Det tog lång tid innan han fått upp de små stickande ögonen så pass att han såg vilka vi var, och ännu längre dröjde det innan han fattade vad det var vi ville.

— Ett mord. Ett mord i Uvlången. Jaha.

Jag hade svårt för att tänka mig att mord hörde till den dagliga rutinen här uppe i Bergslagen, men det rödhyade ansiktet visade inga andra känslor än förtret över den allför bryska väckningen. Muttrande gick han emellertid in för att få på sig ett par byxor, och vi väntade snällt i hans frodiga syrenberså. Jag uttalade mina tvivel om fjärdingsman Olssons lämplighet när det gällde att lösa de invecklade problemen ute på Lillborgen, och Einar gav luft åt sin starka längtan efter en viss Christer, som jag så småningom identifierade som den detektivkommissarie, varom han någon gång tidigare talat. Att mordkommissionen i Stockholm vid utredandet av sina mordgåtor någonsin använde sig av

47

andra hjälpmedel än vännen Christers hjärna föreföll efter Einars panegyrik svårförståeligt. "Christer" tycktes dessutom ha ännu en framstående egenskap, som placerade honom i särklass bland människor: han var barnfödd i Skoga.

Men när den undersätsige lille fjärdingsmannen under promenaden ner till sjön började fråga ut oss på sitt korthuggna och tvära sätt ändrade jag diagnosen från "dum och vresig" till "klipsk och enveten". I motorbåten fick jag berätta min historia om regnet, granen och fyndet för tredje gången, och nu lät den irriterande onaturlig och teatralisk. Guss Olsson såg allt grinigare ut, och varken mina eller Einars upplysningar mottogs med någon synbar hänförelse. Mest var det jag som pratade; Einar svarade markerat fåordigt när han blev tilltalad men ägnade sig dessemellan demonstrativt åt motorn och navigeringen, och jag tyckte ibland att han kunde ha varit litet mer tillmötesgående mot den frågvise polismannen.

Klockan var nästan halv sju på lördagsmorgonen när vi steg i land vid stenkajen. Det var klart solsken men blåsigt och rätt kyligt. I varje fall frös jag trots min kraftigt tilltagna yllekofta. Tigande satte sig processionen i gång: uppför den vackra skogsvägen, in i skogen, fram mot den stora granen. Jag förstod att jag skulle ha hittat vägen i nästan medvetslöst tillstånd, och jag förstod också att jag aldrig skulle glömma denna väg och denna plats. Min hand pekade på de täta grenarna, och så vände jag mig bort.

Det hördes ett svagt rasslande och några djupa andetag. Och därpå:

— Vad tusan är det här? Försöker ni att driva med mig, så ska det min själ stå er dyrt.

Fjärdingsman Olssons små ögon var ettrigare än någonsin. Jag tvingade mig med en ansträngning att se in under de upplyftade kvistarna.

Den barrtäckta marken under granvalvet var absolut tom.

Femte kapitlet

Jag satt på kanten av stenkajen och försökte bestämma mig för om jag skulle gråta en stund eller inte. Båten hade just rundat udden och därmed definitivt glidit ur mitt synfält, och det var ingen som ens hade föreslagit att jag skulle få följa med. Vad som tryckte mig var emellertid inte den lille fjärdingsmannens nästan ursinniga missnöje. Han var måhända i sin fulla rätt när han kallade mig överspänd, inbillningssjuk och hysterisk, och säkert kunde man inte begära att en jordbunden och fantasilös man som han skulle tro på ett lik, som han aldrig hade sett med sina lekamliga ögon. Men med Einar var det annorlunda! Einar borde ha stått vid min sida lojalt och utan överlägsenhet, och även om han inte känt mig mer än några korta dygn borde han ha förstått att jag trots min mörkrädsla inte var den som förblandade fantasi och bister verklighet. Hans skeptiska kyla och hans tysta instämmande i herr Olssons tillvitelser hade satt sig som en klump i bröstet på mig.

Och vad skulle det nu bli av? Skulle vi fortsätta att bada och äta och flirta och glömma bort att vi någonsin träffat en varm och livshungrig kvinna, som hetat Marianne Wallman? Därmed var min tanke tillbaka vid utgångspunkten. Var fanns Marianne — eller det som en gång varit Marianne — nu? I sjön eller endast längre in i skogen? Jag ångrade bittert att vi inte gjort vår sak ordentligt och undersökt grottan under granen innan vi vid halvfyratiden lämnat ön. Hade liket flyttats efter denna tidpunkt kunde vem som helst haft tillfälle att göra det ganska obemärkt. Ann och Rutger låg visserligen i samma sovrum, men att döma av Anns nattliga vanor behövde detta ingalunda innebära att de sov stillsamt hela natten vid varandras sida. De övriga låg efter Einars och min avfärd alla ensamma i sina rum: Carl Herman, Lil, Viveka och George, som kunde ta sig ut ur sin lilla kammare antingen genom köket eller, om han ville vara ännu säkrare på att inte bli uppmärksammad av paret Hammar, genom det lågt sittande fönstret på husets framsida. Jag försökte frammana bilden av en hemlighetsfull figur, som i den bleka sommarnatten styrde sina steg mot den höga granen och därefter återvände med en kuslig börda över axeln, men jag gav genast upp med en suck och en huvudskakning. Det hela var alltför fantastiskt. Jag kunde lika gärna tänka mig Einar eller mig själv i den situationen ...

Tankarna växlade åter in på ett nytt spår. Vad gjorde jag egentligen här på stenkajen? Väntade på Einar fast han långt ifrån var värd det efter sitt uppträdande i morse? Beslutsamt reste jag mig för att gå, men beslutsamheten avlöstes omedelbart av sin motsats när jag vände näsan mot vägen och skogen. Inte ens i klart solsken hade jag någon önskan att på nytt vandra denna olustbetonade väg. Den vitmålade ekan ryckte emellertid muntert i sina förtöjningar och visade mig en annan möjlighet. Jag lösgjorde den och rodde lättad ut ur hamnen och vidare längs den steniga stranden. Det var mer invecklat än jag hade trott — Uppsala är knappast någon plantskola för blivande storroddare — och vid ett par tillfällen var jag rädd att jag skulle hamna i Einars och min sagoskog på motsatta sidan i stället för vid badbryggan, men med blossande kinder nådde jag till sist mitt mål.

Klockan var ännu inte åtta, och Lillborgen erbjöd en tavla av djupaste frid. I en av tegelstolarna somnade jag och drömde underbart. Så småningom blev jag medveten om att jag kysste någon och att det var detta som var så utomordentligt angenämt. Jag satte mig upp så häftigt att jag med ett brak slog min panna mot Einars. Han log rart, och jag ansträngde mig förgäves att komma ihåg varför jag inte borde le tillbaka mot honom.

Från stugan hördes Ann ropa ett förvånat:

— Vad ser jag? Är ni uppe redan. Det är väl ingenting på tok?

Hon kom emot oss fräsch och välvårdad som alltid, och det ljusa håret bildade en effektfull kontrast mot den marinblå klänningen. De lugna blå ögonen betraktade oss forskande. Einars svar var snabbt och avvärjande.

— Vi hade tänkt att vi skulle få hedersuppdraget att fara in till Forshyttan och handla åt dig.

50

Jag stirrade dumt, och Ann såg ett ögonblick ganska fundersam ut.

— Det var väldigt bussigt av er. Jag har onekligen mycket annat att göra. Men å andra sidan är det lördag, och jag vet inte om ni klarar av allt som ska köpas och uträttas.

— Lita på det gamla gardet, du! Jag ska nog sköta mig. Men jag vore tacksam om du hade ett par smörgåsar åt oss innan vi startar.

— Naturligtvis. Om Puck vill gå med mig ner i källaren ska vi se vad som finns.

Tämligen förvirrad följde jag efter Ann. Hon pratade glatt om helt likgiltiga saker, varnade mig för att bryta benen i den branta källartrappan och grubblade över vad vi skulle köpa hos handelsmannen. Och jag grubblade ännu mera. Vad hade Einar nu fått i huvudet? Vad menade han med att störta tillbaka till Forshyttan för tredje gången denna lördagsmorgon? Jag studerade nyfiket hans ansikte medan vi åt våra skinksmörgåsar, och jag tyckte mig läsa ett förbryllat streck också mellan hans ögonbryn.

Med Einars arm omkring mig passerade jag blundande den kritiska punkten på vägen, men han teg envist om sina planer. När han fått i gång motorn och klarat svängen runt den utskjutande östra udden gav han mig emellertid en lång blick. Med samma smala rynka i den bruna pannan stack han handen i byxfickan och tog fram någonting. Jag flämtade till av förvåning och avsmak.

— Mitt armband! Var . . . var har du fått tag på det?

— Det låg på min byrå när jag kom in för att hämta min pipa för några minuter sedan.

— På din byrå?? Och hur hade det kommit dit?

— Fråga inte mig. Carl Herman sov, och jag var inte precis upplagd för någon pratstund, så jag aktade mig att väcka honom. Kanske låg det där redan när jag gick ut i natt fast jag var för sömnig för att se det då. Jag vet inte. Jag vet i själva verket ingenting längre.

— Men armbandet var ju försvunnet redan innan . . .

— Kanske Carl Herman har hittat det, sade Einar trött, men han lät inte som om han själv trodde på denna teori.

En stund senare rusade vi runt i Forshyttan och handlade som till ett helt regemente. Det blev sannerligen ingen billig historia för Hammars med alla dessa inbjudna och oinbjudna gäster. Släpande på fotogendunkar och tunga matkassar vände vi vid elvatiden tillbaka ner mot sjön. Vägen krökte, och jag hejdade mig för att ännu en gång uppleva det storslagna sceneriets skönhet. Men min naturdyrkan blev avbruten redan i själva begynnelsen.

Mitt i tavlan satt det en man i storrutiga sportkläder. Han störde egentligen inte, där han satt med en pipa i munnen och meditativt stirrade ner i de blå vågorna. Det var bara det att han alldeles självklart utgjorde bildens centrum, den för vars skull solen och sjön och skogarna var till, och hur det nu var fick man inte mycket intresse till övers för något annat än denna gängliga och rutiga figur.

Einar suckade ett: Gudskelov! och betraktade den orörlige piprökaren med något liknande kärlek i blicken. Och som en omedelbar följd härav kände jag att jag inte tänkte tycka om kommissarie Wijk från Skoga. För övrigt retade mig hans utstuderat långsamma sätt att ta pipan ur munnen, veckla ut de långa och magra lemmarna till stående ställning och därpå — äntligen — åstadkomma en sorts hälsning. Karlen gjorde mest av allt intryck av överlägsen ironi, och endast de skarpa mörkblå ögonen, som undersökande tycktes se rakt igenom mig, var allvarliga och sympatiska. Han ruskade på sig som en stor hundvalp och sade:

— Ja, här har ni mig nu. Vad har ni att bjuda på?

— Åtskilligt, replikerade Einar. I varje fall tillräckligt för att jag inte skulle vilja redogöra för det per telefon i de här trakterna, där telefonisterna begärligt avlyssnar alla ovanligare samtal. — Hur länge varar din semester?

— Den slutar på onsdag.

— Hm. Det är rått att dra dig från Skoga de sista dagarna, men när du väljer att tillbringa din semester bara några mil från den plats, där dina vänner och bekanta går omkring och mördar varandra, får du stå ditt kast.

— Jag anade det. Christer Wijk lät dyster. Det är vådan av att ligga för länge om morgnarna. Hade jag gått upp bara fem minuter tidigare, hade jag varit borta ur huset och ute på sjön när du ringde. Jag längtar faktiskt inte särskilt lidelsefullt efter att umgås med mördare, inte ens om de till vardags är mina bästa vänner. Du har inte möjligen tänkt på att försöka med lokalpolisen?

Einars och mina ögon möttes, och för första gången på många

52

timmar skrattade vi. Jag förstod att jag varit dum och att Einar aldrig svikit mig utan hela tiden arbetat med att lösa den uppgift, som så oväntat lassats på oss. Han hade tydligen satt sig i förbindelse med Skoga så fort han blivit av med den knarrige fjärdingsmannen. Och jag var inte längre säker på att jag såg den rutige detektivkommissariens närvaro med oblida blickar.

— Den lokala polisen, sade jag, vill inte ha något med saken att göra, i varje fall inte så länge jag hör till de levandes antal! Han tror att det rör sig om något ovanligt dumt Uppsalaskämt.

— Sätt dig i motorbåten, bad Einar, och låt oss berätta hela historien. Om du sedan vill ta din bil och vända tillbaka till Skoga ska jag inte göra något för att hindra dig. Men lyssna först.

Och Christer Wijk kunde verkligen lyssna. Einar körde oss en bit ut på Uvlången, och medan den nordliga vinden sakta drev båten allt närmare ön talade vi båda, en i taget och emellanåt också i munnen på varandra. Wijk gjorde inte många frågor, men det var lätt att se att han blev allt mer intresserad ju mer han fick höra. När vi kom till knalleffekten med det försvunna liket visslade han till, och med en inte alltför tragisk uppsyn sade han suckande:

— All right. Sätt motorn i gång, herr kapten. Visserligen har jag på känn att här kommer att behövas hela mordkommissionen, men det är väl bäst att jag tar mig en titt på det hela innan jag låter larmet gå. — Säg mig nu först: vem är den vackre filmhjälten i dramat?

Därmed inledde han en frågekampanj, som inom loppet av fem minuter hade dragit ur oss alla våra tankar och iakttagelser beträffande George Malm. Jag redogjorde för vår skymningspromenad på onsdagen och för Georges hastigt uppflammande erotiska lidelser, och jag hade tillfredsställelsen att se Einars käkparti hårdna i svartsjuk vrede. Efter någon tvekan berättade jag också om scenen mellan George och Ann samma natt, och denna gång reagerade bägge mina åhörare med lika uppenbar förvåning. Georges förtjusning i Marianne, deras skogsvandring på torsdagskvällen och slutligen hans löfte att köra henne till Forshyttan, allt ventilerades och fick skrämmande stora proportioner. Min blick sökte Christer Wijks.

— Ni ... ni misstänker väl inte George?

— Ännu är det för tidigt att misstänka någon, vem det vara

53

må. Om jag är särskilt frågvis när det gäller den sköne Jojje, så beror det på att han är den ende i sällskapet, som jag inte känner förut. Fröken Ekstedt själv undantagen!

Einar mumlade något om "Puck" och "Christer", och jag kände mina fingrar försvinna i en smal och känslig hand. Vi rundade just udden och gled med avslagen motor in i hamnen. Wijks ögon överfor med en fågels rastlöshet hela sceneriet.

— Här är sig likt, tror jag.

— Har du varit här förr?

— Jag åt kräftor här för två år sedan. Just i sällskap med Marianne Wallman för resten. Puck, vill du visa mig granen!

Det var inte utan att jag var beredd på ännu en överraskning när jag på nytt lyfte upp de tunga grenarna och stirrade in i den lilla grottan. Men den var lika tom som den varit när fjärdingsman Olsson sist betraktade den.

Christer Wijk var till min glädje ingen Sherlock Holmes, som omedelbart fann hårstrån och tygrester, vilka ingen annan sett. Han skakade på huvudet.

— Det är väl bäst att vi går upp till de andra. Och jag är tacksam om ni två håller ögon och öron öppna.

Jag försummade emellertid genast ett gott tillfälle att villfara hans önskan. Einar och jag styrde kurs på köket för att lämna ifrån oss alla våra pytsar och paket, och följaktligen gick vi miste om det frukostätande sällskapets reaktioner när detektivkommissarie Wijk från Stockholmspolisen steg in i rummet. Spridda utrop av häpnad och misstro nådde ut till oss, men när jag hastigt stötte upp dörren och tog in matbordet i synfältet var det redan för sent att söka utläsa något i de sex förvånade ansiktena.

Lil, som förmodligen skulle bli stimulerad av en ny karl, om hon vore på väg till sin egen avrättning, kisade med de guldbruna och sade entusiastiskt:

— Välkommen, raring! Det var evigheter sedan. Var höll du egentligen hus på Rutgers doktorsmiddag?

— Han kanske inte var bjuden, varnade Carl Herman. Du ska då alltid trampa i klaveret.

— Jag vet att han var bjuden. Jag skulle ha haft honom till bordet. Men han lämnade återbud sex timmar i förväg.

— Jag är ledsen, Lil — Wijk lät hövligt beklagande — men jag har ett arbete, som inte tar någon hänsyn varken till middagar eller semestrar. Det inträffade ett mord...

...Det dröjde en god stund innan detta ord ånyo uttalades, och då var effekten våldsam. Vi hade ätit och diskat och satt nu ute på gårdsplanen, där solen och den friska vinden i förening åstadkom en behaglig temperatur, helt olik föregående dagars kvävande hetta. Jag blev mer och mer nyfiken på vilken taktik Christer Wijk hade bestämt sig för att följa. Tänkte han ingenting säga om mitt fynd och sin egen mission på Ön? För tillfället verkade det som om han själv glömt bådadera. Samtalet rörde sig som bäst om favoritämnet diktens begriplighet, och han förfäktade med hela sin själ vad han kallade "en sund lekmannasynpunkt."

— En dikt, som bygger på så långsökta associationer att bara författaren själv och ett fåtal invigda begriper den, är inte längre konst, den är tungomålstaleri. För mig är hela rörelsen lika osund och lika snorkigt klickbetonad som en del religiösa ytterlighetssekter...

— Om det är någon som är snorkig så är det du, sade Viveka med osedvanlig hetta. Du utgår från en alldeles felaktig ståndpunkt om du menar att det viktigaste med en dikt är att man ska kunna begripa den. Inte "begriper" du väl ett musikstycke första gången du upplever det?

Diskussionen urartade snart till ett rent gräl. Viveka kämpade en ojämn kamp alldenstund hon på sin sida egentligen bara hade Lil, vars argument mestadels var oroväckande personliga:

— Menar ni den där gossen med långt hår och ljusa mustascher? Men han är väl bedårande! —————— Jag försäkrar dig, Christer, att Erik Lindegren är fascinerande.

Den blide skalden Carl Herman Lindensiöö, som nog i praktiken stod med en fot i vardera lägret, blev efter dylika repliker ännu mer konservativ än Christer och Rutger tillhopa. Ann var tyst, sval och ointresserad, och George, som på nytt exponerade sina fiskar, övertygade genom sin blotta min om att han varken kände till Eliot eller modernismens mindre profeter. Viveka hade fått röda fläckar på kinderna, och hon förklarade hetsigt att en dikt var bättre ju längre tid det tog att begripa den.

— Då skulle alltså de fyrtiotalistiska herrarna vara större poeter än exempelvis Tegnér?

— Naturligtvis. *Naturligtvis,* säger jag och menar det.

Ivern gjorde det kantiga ansiktet riktigt vackert, och Christer Wijks ironiska min mjuknade till ett leende.

— Du har lika radikala åsikter som Marianne, kan jag höra. Det är ju tur för mig att inte hon också är här och utvecklar sin vältalighet.

— Du har kommit en dag för sent, insköt Ann kyligt. Hon for i går.

Christers rutiga gestalt rätade en aning på sig, därefter sade han mycket stillsamt:

— Jaså, verkligen. Och är det någon som kan tala om för mig när hon for?

Manövern hade skett så oväntat att jag ännu inte hunnit lämna det litterära experimentalfältet bakom mig. Även de andra föreföll en aning desorienterade. Viveka stirrade dumt på Wijk, och Rutger flyttade sig oroligt på stolen. Det var Lil, som svarade.

— Fråga Jojje, darling. Han lekte den uppoffrande boyscouten och forslade henne över sjön i värmen.

Allas uppmärksamhet vändes mot George när han trumpet förklarade:

— Ni har missuppfattat det där. Det var inte jag, som var boyscout den här gången. Det var Rutger ...

Rutger Hammars grå ögon uttryckte vantroget tvivel.

— Vad menar du? Skulle jag ha ...

Einar och jag växlade blickar, men Lil sträckte sig otåligt efter en cigarrett och deklarerade:

— Är nu det något att bråka om? Om en eller två eller flera karlar skjutsade Marianne till Forshyttan är väl ganska likgiltigt. Borta är hon, och om jag får säga min mening är det ganska skönt att vara av med henne.

— Förlåt mig, Lil. Christer Wijks tonfall var fortfarande lika stillsamt. Men frågan är inte så likgiltig, som den kan synas. *Marianne lämnade nämligen aldrig Ön.* Hon blev mördad innan hon hunnit ner till båten.

Jag trodde inte att nio personer kunde bli så skrämmande tysta. Den första, som reagerade, var Viveka.

— Gode Gud, Christer, viskade hon, och hennes fingrar grep mekaniskt efter hans arm.

George Malm stirrade hotfullt på kommissarien.

— Om det är ett skämt är det ett förbannat dumt sådant.

Rutgers kraftiga ansikte var askgrått när han frånvarande mumlade:

— Jag är rädd att det inte är något skämt. Jag förstod så snart jag fick se Christer...

Anns lugna ansikte var många nyanser blekare än nyss, men eljest röjde det inga som helst känslor, och detsamma gällde förbluffande nog om Lil. De gula ögonen påminde mer än någonsin tidigare om klar och hård bärnsten. Det starkaste utbrottet kom inte från någon av kvinnorna utan från Carl Herman. Han hade rest sig ur soffan och sökte nu med kritvita läppar säga något. Det blev bara en snyftning, och med ett stönande sjönk han samman över bordet. Lils smala fingrar strök honom lugnande över de blonda lockarna, och jag kände min strupe snöras samman.

Christer Wijk, som säkert ännu snabbare än jag registrerat allas uppträdande, lossade varsamt Vivekas krampaktiga grepp om sin arm och sade nästan ömt:

— Du var mycket god vän med Marianne?

Hon nickade tyst. Jag önskade hett att hon i detta ögonblick hade kunnat fälla Carl Hermans tårar, det var otäckt att se den tomma blicken i de torra, uttryckslösa ögonen.

— Jag har varit med om många mord, återtog Wijk långsamt, men inget, som berört mig så nära. Jag förmodar att vi alla sörjer Marianne, och jag utgår från att jag kan räkna på allas hjälp när jag försöker klara ut omständigheterna kring hennes död.

— Hur... hur dog hon? Vivekas svaga stämma hördes knappast fram till min plats.

— Hon blev strypt, skrek jag plötsligt hysteriskt. Hon blev strypt med sin egen sidenscarf.

Christer Wijk gav mig ett snabbt ogillande ögonkast, och innan någon hann ge en ytterligare uppvisning i dåliga nerver sade han nyktert:

— Och nu återvänder jag till min ursprungliga fråga. Vem skulle ha kört Marianne över i går förmiddag? Vad har ni att säga, Malm? Var det inte ni, som åtagit er att skjutsa henne?

— Jo, vi bestämde det vid frukosten. Georges bronserade panna var täckt av täta svettpärlor. Men en timme senare kom hon och sade att Rutger ville köra henne själv. Jag... jag fick det intrycket att jag inte var önskvärd, så jag sade adjö och gick ner för att bada. Sedan såg jag henne inte mer.

— Vad var klockan när ni skildes från henne?

— Omkring ett skulle jag tro.

Wijk vände sig med en outtalad fråga till Rutger, som skakade på huvudet.

— Antingen ljuger George, sade han trött, eller också ljög Marianne. Klockan ett var jag redan på sjön.

— I motorbåten?

— Nej, i ekan. Jag hade givit mig i väg för att lägga ut nät.

— Rodde du så att du kunde se Ön?

— Nej, jag var i Lillsjön. Jag kom tillbaka vid fyratiden, och eftersom jag inte hade någon lust att gå upp före middagen tog jag motorbåten och körde runt en stund.

— Var du aldrig fram till stugan?

— Nej. Jag var knappast i land ens.

— Du såg ingen? Och det var ingen som såg dig?

— Neej. Det finns ingen, som kan intyga att jag talar sant, om det är det du menar.

De grå och de mörkblå ögonen möttes och fasthöll prövande varandra. Det var Rutger som först slog ner sina. Wijk suckade lätt.

— Var det någon av er, som talade med Marianne senare än George?

Inte en antydan till svar. Med Wijk som tålig förhörsledare blev det dock så småningom utrett att frukosten varit avklarad ungefär klockan tolv. Einar och jag hade omedelbart gått ner till badbryggan, och vi hade återvänt först vid femtiden. Ann diskade och sysslade med en del i köket och gick därefter ut på gårdsplanen ett ögonblick. Hon såg Marianne och George i ivrigt samspråk borta vid rönnen men vände snart in igen. Två pulver och neddragna gardiner gav henne en smula lindring i huvudvärken, möjligen hade hon sovit emellanåt. Mer kunde hon inte bidra med. Viveka var lika negativ. Hon hade rökt ett par cigarretter tillsammans med Marianne, George, Lil och Carl Herman ute på gården, och sedan hade hon följt Marianne till gästrummet för att hjälpa henne lägga ihop sina få tillhörigheter.

— Hon var alltid så opraktisk själv... Hon gick strax före ett, det är jag alldeles säker på, för jag minns att jag tittade på klockan och tänkte att jag kunde sova någon timme innan jag badade. Men jag sov ända tills Lil väckte mig vid sextiden. Värmen och den starka Bergslagsluften måtte ha blivit för mycket för mig.

Carl Herman hade så småningom blivit lugnare, men han låg fortfarande framstupa över trädgårdsbordet utan att prisge sitt ansikte åt våra obarmhärtiga och avslöjande blickar. Lil talade beredvilligt för dem båda.

— Ja, vi satt här ute och pratade en stund efter maten, men så gick Marianne in för att "packa" — jag undrade just vad hon menade med det, för jag kunde då inte se att hon hade någon väska när hon kom! Carl Herman ville vandra i skogen, och dumt nog följde jag med honom och flängde runt hela ön. Det tog timmar, och jag rev sönder ett par sexton kronors nylonstrumpor och ...

— Var ni tillsammans hela tiden?

— Ja, visst. Carl Herman fick bära mig på sina händer den sista biten, så han ångrade nog vad han givit sig in på.

Bärnstenen glittrade mot Carl Herman, som lyfte ett plågat och förvridet ansikte mot den sköna förtäljerskan. Han led tydligen av Lils likgiltiga och nästan uppsluppna jargong.

— Vilken väg tog ni?

— Jag beklagar, Lil skakade energiskt på de röda lockarna, men vi såg absolut ingenting spännande. Vi vandrade först raka vägen ner till båthamnen. Vad sa du? Åh, halv ett skulle jag tro. Var hon inte det, Carl Herman raring? Sedan klättrade vi utefter kusterna förstår du. Carl Herman har varit i Schweiz och har någon underlig passion för bergsbestigningar. När vi hade kommit upp på Stupet var jag redan alldeles matt, men då hade nöjet bara börjat. Vi såg i alla händelser *inte* några båtar, som for varken till eller från ön, om det kan vara dig till någon hjälp. Vi återvände så småningom på en stig bakom uthuslängan och kom lagom till Pucks och Ejes delikata middag. Ska du ha stenografisk uppteckning av förloppet?

Wijk ignorerade det näsvisa inpasset och sög fundersamt på en spinkig pipa. Och jag gjorde den reflexionen att det bestämt var värre att lösa ett mordproblem om de inblandade var i total avsaknad av alibin, än om de höll sig med fullkomligt vattentäta sådana. I själva verket var det ju förutom Einar och jag inga fler än Lil och Carl Herman, som kunde bevisa vad de egentligen haft för sig de kritiska timmarna ...

Men inte ens den fasta punkten skulle jag få behålla. Einar, som länge suttit tyst i bakgrunden, tog nämligen helt oväntat till orda och sade:

— Jag fruktar att Lil av en eller annan anledning missminner sig en smula. När jag vid femtiden kom upp från bryggan låg nämligen Carl Herman på sin säng. Och han påstod att han inte hade sett Lil på flera timmar ...

Sjätte kapitlet

Christer Wijk tycktes ta detta sista avslöjande med mycket stort jämnmod. Möjligen krökte sig överläppen ytterligare ett par ironiska grader när han roat granskade Lils oberörda ansikte. Kanske var han av princip skeptiskt inställd gentemot sina vittnens sanningsenlighet, kanske var han särskilt misstrogen mot Lil Arosander — hans min skvallrade i varje fall snarare om triumf än om förvåning. Men Lil var nästan blåögd i sin troskyldighet.

— Snälla Eje, har du förlorat allt sinne för humor? Begriper du inte att Carl Herman skojade med dig? *Älskling*, tala om för den dumbommen att det bara var ett skämt och att vi verkligen var tillsammans hela tiden!

Det var kuttrande tveksamhet i hennes röst, och Carl Herman flyttade hjälplöst sin blick från henne till Einar och tillbaka igen. Ett tag trodde jag att han skulle få en ny gråtattack. Men med en viljeansträngning, som var så våldsam att man tydligt kunde avläsa den i de hårdnande ansiktsmusklerna, ryckte han upp sig och avgav sitt vittnesmål.

— Naturligtvis var vi tillsammans. Vem kunde ana att mitt lilla anfall av retsamhet skulle få sådana proportioner? Jag tyckte att Einar var frågvis och insinuant när han ville veta vad Lil och jag hade haft för oss, och därför påstod jag att vi knappast sett varandra.

Det var till Wijk han riktade sig, och denne var outgrundlig som sfinxen. Han lade huvudet en aning bakåt i någon sorts titta-efter-vildgässen-attityd och föreföll totalt likgiltig för våra minspel och känslor. Det var till den blå rymden han talade när han slutligen konstaterade:

— Ja, man kan ju inte säga att vi har kommit gåtans lösning särskilt nära. Vi vet inte stort mer än att Marianne gick härifrån någon gång vid ett-tiden. Strax före ett sa hon adjö till Viveka inne på sitt rum, och några minuter senare meddelade hon herr

Malm att han inte behövde sätta henne över till Forshyttan, för det skulle Rutger göra.

Han flyttade blicken från de imaginära vildgässen och lät den eftersinnande vila på en av Georges mest uppsluppna fiskar.

— Hur länge tror ni att ert samtal med fröken Wallman varade?

— Åh, på sin höjd tio minuter skulle jag tro, men det är svårt att avgöra.

— Var träffade ni henne?

— Där borta på gräsplanen — alldeles där vägen ner till båthamnen börjar.

— Det måste ha varit då Ann-Sofi såg er. Tror du det stämmer, Ann?

— Ja, sade Ann, och hon var fortfarande onaturligt blek. Det gick långsamt för mig med disken den dagen, så klockan bör ha varit ett eller något över.

— Hur var Marianne klädd?

— I långbyxor förstås. Ann såg en smula häpen ut. Hon hade ju ingenting annat med sig.

— Hon ... hon hade grå långbyxor och vit blus med en klarröd sidenscarf över. George nästan stammade i sin iver att komplettera Ann. Och så hade hon en ganska stor axelremsväska i svinläder.

Så typiskt det är att George med alla sina shorts och Californiaskjortor har intresse och känsla för både kläder och färger, tänkte jag halvt road. Högt sade jag:

— Hon hade en väldigt raffinerad frisyr också. Det högra örat var bart, och allt håret var samlat på andra sidan huvudet. Det var verkl ... Åtminstone såg hon sådan ut vid lunchen, slutade jag lamt när jag av Christer Wijks blickar kunde utläsa att mina bidrag enbart trasslade till trådarna för honom.

Tydligen hade också George mera på hjärtat. Utan att vara tillfrågad lämnade han nämligen helt abrupt ännu en upplysning:

— Jag följde henne en tjugu—tretti meter in i skogen — ungefär till den första vägkröken här uppe ...

Med undantag för Wijk var Einar och jag de enda, som tog detta tillkännagivande behärskat. Häpnad och misstro lyste helt plötsligt ur allas ögon, och medan jag stirrade från Rutger till Lil förstod jag först långsamt vad de lade in i Georges yttrande.

Ingen mer än vi tre visste att Marianne blivit mördad — eller i varje fall stoppad under en gran — minst halvannan kilometer längre ner utmed vägen. Om man kunde lita på Georges ord, så måste han ha hunnit tillbaka upp på gårdsplanen långt innan Marianne stött samman med sin mördare. Om man kunde det, ja...

För övrigt måste det ju vara ytterligare en, som visste — till och med mer än vi. Var det bara häpnad i ansiktena runtomkring mig? Fanns det inte skräck i något av dem? Skräck inför tanken att George Malm kanske hade sett för mycket?

Det var Rutger, som först yttrade sig, och ingen kunde missa sig på hans känslor för den granne "Jojje":

— Varför i helsicke följde du henne inte ända ner till båten?

— Därför att hon förbjöd mig! Hon skulle ju möta dig!

Rutgers känslor var av allt att döma besvarade. Men kommissarie Wijk göt med sina lätt släpiga tonfall olja på de häftigt svallande vågorna.

— Jag skulle vilja fråga tvärtom. Varför i h—e följde ni henne över huvud taget in i skogen? Det var ju under rönnen ni hade er lilla uppgörelse då ni, som ni själv uttryckte saken, fick veta att ni inte var önskvärd. Varför vände ni då inte om på klacken och gick er väg?

George svarade endast med en fräsning, men när Wijk tålmodigt väntade muttrade han till sist:

— Vi skildes inte alls som ovänner, om det är det ni tror. Och jag ville gärna säga adjö till Marianne på en litet mindre offentlig plats än gårdsplanen.

— Men Jojje, darling, du menar inte att du har gått och blivit blyg på gamla dar? Lil såg moderligt bekymrad ut och ignorerade fullständigt en ny fräsning från sin vackre skyddsling. Jag kände att jag mycket snart skulle stiga upp och i brist på annat tillhygge slå en trädgårdsstol i huvudet på henne. Den där raljanta och oberörda tonen retade mig, och jag anade hur den måste plåga i varje fall Carl Herman och Viveka.

Lyckligtvis dirigerade Christer Wijk med fast hand oss allesamman.

— Marianne gick alltså neråt båthamnen strax efter klockan ett. Och sedan var det ingen, som såg henne, förrän Puck fann hennes lik på kvällen.

— Puck! var det du...! Nu lät Lil uppriktigt förskräckt och

63

medlidsam. Undra då på att du såg ut som om du mött ett spöke. Och vi, som skojade så med dig! Men, *raring*, varför *sa* du ingenting?

Jag började tro att Wijk helt enkelt inte hörde alla våra ovidkommande inpass och utbrott. Han frågade enstavigt:

— När?

— En liten stund efter det att ovädret hade börjat. Jag ... jag har ingen klocka, så jag vet inte ...

Många röster försäkrade att det hade börjat regna vid halvniotiden. Wijk höll fast min blick:

— Och du säger att hon redan kändes stel och kall vid den tidpunkten?

Jag kröp längre in i min yllekofta och nickade stumt. Allting var så overkligt att jag knappast själv kunde tro på det. Min upplevelse där under granen. Mariannes mörka hår och döda ögon — hade jag drömt alltsammans? Den buttre fjärdingsmannen hade kanske haft rätt. Hur vågade Wijk dra några slutsatser enbart med stöd av mitt vittnesbörd?

Ty det var just vad han var i full färd med att göra.

— I så fall måste mordet ha ägt rum åtminstone några timmar tidigare. Men för säkerhets skull är det bäst att ni alla redogör för era sysselsättningar efter middagen.

Det var lätt gjort. Vi hade börjat äta strax före sex, och därefter hade hela sällskapet — med undantag för Einar och mig — varit samlat till klockan åtta. Då gick Rutger för att göra sig i ordning till en fisketur, men de övriga satt kvar ute på gräsplanen tills de kände de första regndropparna falla. Georges förslag att man skulle ta ett kvällsbad i regnvädret vann ingen anklang, utan alla retirerade in i sällskapsrummet, där de tände den brasa, omkring vilken jag vid min entré fann dem församlade.

Den kritiska tidpunkten inföll alltså, som man kunnat vänta, någon gång mellan ett och sex.

— Naturligtvis är det bara en gissning, sade Wijk, men jag tror att man kan anta att Marianne träffade samman med någon strax efter det att hon hade skilts från George Malm på skogsvägen. Hade hon inte mött någon människa varken på vägen eller nere vid båtarna, hade hon givetvis vänt om igen och gått tillbaka upp till stugan. Någon av er, mina damer och herrar, talade med henne ungefär en kvart över ett. Möjligen fick det samtalet karaktären av ett gräl, som slutade med mord. I vilket fall som helst vill jag gärna ha tag på den person, för vars skull hon — enligt herr Malm — ändrade sina planer.

Christer Wijk hade rest sig. Hans ögon var mycket blå.

— Lil och Carl Herman uppger att de två var tillsamman från klockan halv ett till fem, detsamma gäller om Einar och Puck. Ingen av er andra har något som kan bekräfta era alibin.

— Och, tillade han torrt, längre kan vi väl inte komma för tillfället.

Den rutiga gestalten gick några slag över gräsplanen. Och i en cirkel runt kaffebordet satt åtta människor, som mest av allt påminde om åtta saltstoder. Jag välsignade Wijk då han plötsligt satte kurs mot rönnen och ropade på Einar och mig att följa honom.

Christer Wijk var tydligen ute för att närmare undersöka den mångomtalade vägen ner till båthamnen. Trots att han var ganska fåordig lärde han mig också under denna promenad att se och iaktta min omgivning på ett annat sätt än förut. "Vägen" var ingenting annat än en ovanligt bred, väl upptrampad skogsstig. De första tio meterna kantades den av vegetation av låga björkar och buskar. Men snart blev tallarna och granarna förhärskande, de förra höga och ranka, de senare mer jordbundna och dystra. Plötsligt krökte vägen, och Wijk hejdade sig och mätte avståndet tillbaka till gräsplanen.

— Tretti meter, det är nog riktigt, instämde Einar, som följt hans blick. Och stod de här, behövde de inte riskera att bli sedda från stugan.

Jag försökte att tänka mig Marianne och George tagande avsked av varandra just här. På vad sätt det hade skett behövde man väl egentligen inte grubbla över när det gällde George. Men å andra sidan — var det naturligt att han skilts med kyssar och smekningar från en kvinna, som några minuter tidigare måste ha sårat honom djupt, genom att säga sig föredra Rutgers sällskap och tjänster framför hans egna?

Wijks tankar måtte ha gått i samma riktning som mina, för han suckade lätt och fortsatte vandringen. Det var egendomligt tyst i skogen. Antingen fanns det inga fåglar och andra djur i dessa tallskogar, eller också sov de alla middag just nu. Marken inne un-

65

der träden var överallt beklädd med mjuk mossa, den täckte de jättelika stenar, som tycktes överflöda i Bergslagsterrängen, och gav dem ett avrundat och inbjudande utseende. Men stigen, där vi gick, var hård och fast.

— Här lönar det inte att söka efter fotspår, sade jag nedslaget. Jag läste en gång en deckare, där den begåvade poliskommissarien löste två invecklade giftmord därför att några nästan helt utplånade fotavtryck visade att mördaren gick på yttersidan av foten men nötte skorna på insidan. Det var bara att ta reda på en karl, som gick på yttersidan och som hade lånat skorna från en innersida. Aldrig är det så där enkelt i verkligheten!

Christer log, Einar rufsade om mina lockar, och det gick plötsligt lättare att andas. Snart var vi framme vid den punkt, där vi kunde skymta granen. Strax nedanför oss gjorde vägen sin största krök, och på andra sidan om den såg man redan båtbryggan och sjön. De båda männen uppskattade vägens totala längd till två kilometer. Och så vandrade jag för fjärde gången fram mot granen.

När man betraktade den så här i solljus och med någorlunda sansade sinnen tedde det sig alldeles naturligt både att mördaren dragits till just denna gran och att jag sökte mig dit under ovädret. Den höjde sig majestätiskt över sina grannar, och de täta nästan svartgröna grenarna sopade marken i en vid rundel. Den här gången gick Christer Wijk grundligt till väga. Han kröp runt både under och omkring granen, och till slut bad han mig försöka rekonstruera min upplevelse. När han såg min motvilja mot att ännu en gång krypa in under det dystra grantaket föreslog han med ett okynnigt leende att Einar kunde lägga sig där inne och vara lik. Jag sade att han var förfärlig, men vi gjorde ändå som han bad. Från vilket håll jag egentligen tumlat in i grottan visste jag inte alls, däremot stod det tydligt inbränt i min hjärna, vilken väg jag dragit mig ut. Jag kröp därför in på måfå och rapporterade därefter för Christer varje rörelse och varje förnimmelse från gårdagen. Att det bara var ett dygn sedan! Jag ryste då jag sträckte ut handen mot varelsen vid min sida, men Einars mjuka varma ansikte förtog mig min rädsla så effektivt att jag hade svårt att lämna Christer de önskade upplysningarna. Wijk skilde på grenarna och betraktade oss uppmärksamt; så skrattade han muntert.

— Liket är för långt. Fötterna sticker ut!

Han släppte grenarna, och Einar drog mig sakta ner till sig. Hans mörka ögon var allvarliga men på samma gång fyllda av hunger.

— Jag vet att vi inte borde tänka på sådana här saker nu, sade han. Men ända sedan i går har jag längtat efter dig, Puck. Jag struntar i lik och mord och annan förbannelse. Jag vill äga dig, nu, och glömma allt annat.

Det berodde inte på att jag var ovillig. Men mitt i den första heta kyssen såg jag ett par andra mörka ögon, och jag frös. Einar reagerade snabbt, och minuten efteråt stod vi båda i solskenet utanför granen.

— Eros-Thanatos, mumlade han. Förlåt mig. Jag känner inte igen mig själv.

Vi gick tigande bort till Christer, som hade slagit sig ner på en sten en bit längre bort. Han stoppade med begrundande min sin pipa, och om han såg att vi var upprörda visade han det i varje fall inte.

— Det har torkat upp snabbt efter gårdagens regn, sade han. Slå er ner och tala sedan om för mig vad ni båda tror om vårt lilla problem.

Einar undvek att möta hans blick, och Christer slog honom lätt på axeln.

— Eje, gamle vän, för första gången på tretti år döljer du någonting för mig.

— Neej. Einar plockade frånvarande några blåbär från en kvist och lät dem falla ner i mossan. Nej, det gör jag verkligen inte.

— Låt oss då säga att du vet någonting som du inte tycker om att veta. Och som du inte vill att jag heller skall få reda på.

— Nej, Christer, om jag visste något skulle jag omedelbart berätta det för både dig och Puck. Kom ihåg att det var jag, som bad dig komma hit! Vad jag kan bidra med är ingenting annat än mycket lösa misstankar. Men du har rätt i att de pekar åt ett håll, som jag inte vill tänka mig.

— Rutger?

Deras blickar möttes, och jag kände att jag stod ohjälpligt utanför.

— Nu är jag inte alls med längre, sade jag klagande. Varför

skulle Rutger vara mer misstänkt än alla andra? George påstår att det var han, som skulle segla Marianne över, det är sant. Men vad har vi för garantier för att George talar sanning?

— Puck är visst ännu sämre orienterad än jag. Christer bolmade ivrigt medan han talade. För jag vet åtminstone en sak, som i förhandenvarande situation måste anses vara en smula graverande för den gode Rutger. Ett faktum är att han varit förlovad med vår kära avlidna.

Jag gapade.

— Förlovad? Rutger! Med Marianne?

— Just det. Och om Eje, som är Rutgers bäste vän, vill vara lojal mot polismakten, så berättar han vad han vet om den historien.

Jag hade redan efter mitt första möte med Einar bedömt honom som omutligt rättrådig, och jag tvivlade inte på att han skulle visa sig lojal. Men jag kände det minst lika obehagligt som han att han på detta sätt skulle behöva prisge en kamrat, även om det var inför så sympatiskt inställda åhörare som mig och kommissarie Wijk.

— Det mesta är sådant, som är känt på hela Stockholms högskola. Einar lät korthuggen och motsträvig och han hade övergått till att rycka även bladen av blåbärsriset. Rutger och Marianne lärde känna varandra för sex år sedan. Han var ordförande i Studentteatern, och hon var deras främsta namn. Hon såg utmanande bra ut, och jag tror att Rutger från första stund blev lidelsefullt förälskad i henne. Vi kamrater var inte förtjusta i henne, hon verkade artificiell och blodfull i en rätt irriterande förening. Men snart hängde de ihop för jämnan, och om vi ville hålla kontakten med Rutger måste vi ta henne på köpet. Förresten utvecklade hon sig snabbt till någonting ganska tjusigt — sällskapet med Rutger var nog nyttigt för henne... De var faktiskt aldrig ringförlovade, men alla väntade att de skulle gifta sig så snart Rutger blev färdig. Marianne följde vid flera tillfällen med Rutger hem till Borg, och hon var ju också ett par somrar här på Lillborgen. Jag tror förresten det var för hennes skull Rutger byggde det här stället... för att få ha henne hos sig även under somrarna, menar jag. En sak vet jag bestämt, och det är att Rutger var vanvettigt förälskad i henne...

Einar tystnade, och det låg både smärta och grubbel i hans

blick. Vi väntade på en fortsättning, men då det inte kom någon sade Wijk sakta:

— Ungefär allt det där visste jag förut. Men däremot har jag alltid undrat vad det var som skilde dem åt. Man har svårt att tänka sig att det kan ha varit Ann.

— Det var det inte heller. Men *vad* det var vet förmodligen ingen annan än Marianne och Rutger själva.

— Det blev tvärslut, tror jag?

— Ja. Det hände någon gång förra våren. Jag var tyvärr inte i Stockholm det läsåret, så jag vet inte mycket om hur deras förhållande utvecklade sig under hösten och vintern. Men jag gjorde ett blixtbesök där på Valborgsmässoafton, och då var vi ute och dansade tillsammans.

Helt ologiskt kände jag att jag inte tyckte om tanken att Einar varit ute en Valborg och dansat med någon annan än mig. Men hans närmaste ord dämpade genast min gryende svartsjuka.

— Förresten var Viveka också med oss. Och den kvällen kunde jag då inte märka annat än att allt var som det skulle mellan Rutger och Marianne. Hon var grannare än vanligt i någonting helvitt, och Rutger hade minsann inte ögon för mycket annat än henne. Jag minns att de talade om att resa till Paris så fort de fick visum ... Ja, sedan såg jag inte Rutger förrän jag kommit hem till Skoga i början av juni. Då ringde han en dag och frågade om jag inte ville cykla upp till Borg. Jag gjorde det och fann en till det yttre behärskad men mycket nervös och uppriven Rutger. Jag frågade naturligtvis nästan omedelbart efter Marianne, och då svarade han bara — jag tror jag kan garantera att jag minns hans yttrande ord för ord, för jag har ofta grubblat över det: "Det är slut mellan oss. Men om du är min vän, Eje, så försöker du aldrig ta reda på vad det är som har hänt. C'est tout fini. Men livet måste gå vidare." Därmed bytte han samtalsämne, och som ni förstår har jag aldrig senare nämnt Mariannes namn i hans närvaro.

Det blev mycket tyst när Einar slutade. Någonstans längre inne i skogen kvittrade en ensam fågel, entonigt och enerverande. Och som om han erinrat sig att hans historia ännu inte var färdigberättad tog Einar långsamt till orda igen.

— Samma eftermiddag kom Ann över till Borg. Lilliebiörns är ju Hammars närmaste grannar, och Ann och Rutger är barndomsvänner. Nu hade Ann just återvänt från England, där hon varit ett par tre år. Vi hade en riktigt trevlig kväll tillsammans, men jag kan försäkra er att jag fick en ordentlig chock när jag en månad senare läste deras förlovningsannons i ortstidningen.

Christer nickade bekräftande, därpå skakade han nästan omärkligt på huvudet.

— Och nu har Marianne blivit mördad på Rutgers ö. Det ser illa ut. Men ännu vet vi på tok för litet för att kunna dra några slutsatser.

Han tycktes fundera. Så frågade han plötsligt:

— Säg mig, vad skulle ni tänka er att det kunde finnas för anledningar att mörda Marianne Wallman?

— Kärlek, svartsjuka, hat, svarade jag nästan innan jag hunnit tänka mig för, och Einar instämde dystert.

— Ja. Med nitti procents säkerhet gissar ni rätt. Det var en ovanligt attraktiv kvinna. Jag skulle nästan ha kunnat tänka mig att mörda själv för hennes skull.

Kommissarie Wijk lät för ovanlighetens skull varken överlägsen eller ironisk. Men innan jag hunnit avgöra hur man borde tolka uttrycket i hans ansikte hade han rest sig och utan ord förmått oss att göra detsamma.

— Om vi nu skulle ta itu med nästa sida av problemet. Sätt er in i att ni har mördat en vacker kvinna. Ni har gömt henne under en särdeles tät och präktig gran. Men av en eller annan anledning beslutar ni er senare för att flytta på henne. Vart?... Jag frågar, var skulle ni placera henne?

— I sjön. Den här gången svarade vi samstämmigt.

— Skulle det vara ett bättre gömställe än skogen? Drunknade människor flyter förr eller senare i land.

— Det kan dröja länge, försäkrade Einar. Dessutom är Uvlången mycket djup. Och här på Ön finns inte en fläck med så lös mark att man kan gräva ner ett kattlik en gång. Ovan jord kunde hon ju inte ha legat ett dygn i den här värmen utan att börja lukta.

Jag kände att jag blev vit om näsan, och Christer tog mig under armen.

— Ner för att undersöka båtarna då! För ni skulle väl knappast ha lagt henne inne vid stranden?

Vid bryggan ryckte två vackra båtar i sina förtöjningar, och längst inne vid stranden låg Vivekas och Mariannes fula gamla roddbåt. Einar såg förbryllad ut.

— Var är ekan?

Jag förklarade hastigt att den låg framme vid stugan, jag hade rott den dit, därför att jag ... jag hade varit rädd att gå vägen ensam.

Karlarna såg mindre hånfulla ut än jag väntat. De ägnade sig för tillfället åt att övertyga varandra om att de varken skulle välja segelbåten eller den bullrande motorbåten om de tänkte åka ut och dränka ett lik. Följaktligen koncentrerade sig Christer på den skamfilade roddbåten. Han synade den både in- och utvändigt, och till sist öste han ur allt det regnvatten, som samlats föregående kväll, för att ordentligt kunna undersöka botten. Jag tyckte att det var evigheter sedan jag sett Einar pumpa vatten ur motorbåten före vår nattliga färd in till Forshyttan, och plötsligt satte jag mig alldeles knäsvag på en sten vid stranden.

— Ekan, sade jag ynkligt. Det var inget vatten i den. *Någon hade öst den före klockan halv sju i morse.*

Det dröjde inte många minuter förrän Christer hade kommenderat oss i roddbåten och med högsta fart satt kurs runt udden till badbryggan. Snart stod vi alla tre och stirrade på de vitmålade ribborna i den flatbottnade ekan. De var mycket riktigt torra; till och med det tjärade golvet under dem var torrt. Christer lyfte upp den ena ribban efter den andra; jag hade ställt mig i det grunda vattnet för att bättre kunna hålla dem åt honom. Då såg jag plötsligt något i en springa under aktertoften.

Det var ett smalt, långt hårspänne i form av en svartglänsande orm. Mycket enkelt men säkert ganska dyrbart. Ett svart hårspänne? Med en rysning räckte jag fram det till Christer.

Han visslade.

— Ser man på. Vi är tydligen på rätt spår.

Han stirrade några sekunder drömmande ut över vattenytan. Sen sade han nästan muntert:

— Vi vet åtminstone en sak efter det här — vår mördare har goda nerver. Eller vad säger ni: skulle ni ställa er att bottenösa en eka omedelbart före eller efter det ögonblick då ni kastat ett lik i sjön?

Sjunde kapitlet

Sluttningen var lång och brant, och där vi stod längst inne i badviken kunde vi inte se stugan. Den lätta vinden förde då och då till oss ljudet av röster; tydligen satt de andra kvar uppe på gräsplanen och diskuterade det som inträffat.

Christer hade avslutat sin inspektion av ekan, men han tycktes inte ha någon längtan att på nytt möta hela församlingen.

— Vi ror båtarna tillbaka till stora bryggan, sade han och satte sig till rätta vid årorna i ekan. Jag vadade bort till roddbåten; det var inte endast Einar, som kom mig att föredra den smutsigaste och murknaste farkosten. Jag var emellertid mycket nära att ångra mig när Einar, som ville tända sin älskade pipa, efter en stund lurade mig att inta hans plats på roddarsätet. Att ro med lösa åror låg helt och hållet utanför sfären för mina talanger, och när jag efter en del hjälplöst plaskande trots mitt krampaktiga grepp tappade den ena åran i vattnet sände jag en beundrande tanke till Viveka, som knogat sig fram en hel halvmil med dylika redskap. Christer räddade den hastigt bortilande åran, och vi kom lyckligt fram till bryggan. Och där gick ridån upp för nästa överraskning.

Mitt på den solglittrande vattenytan dök plötsligt en kanot upp. Ena ögonblicket låg Uvlången där småkrusig och ödslig, och nästa sekund klövs den av snabba och ivriga paddeltag. En mycket glad och ung flickröst hojtade:

— Hejsan, Eje, här kommer jag.

Einar utstötte något som lät som ett stönande.

— Nu blommar sannerligen tistlarna. Allt det här — och så Pyttan!

Pyttan körde emellertid med en elegant sväng sin kanot ända in till bryggan och log soligt mot oss alla tre:

— God dag, kommissarien! God dag — ni är Puck, kan jag förstå. Jag är Pyttan — Rutgers lillasyster.

Den sista förklaringen var nästan överflödig. Så snart hon stod på bryggan slogs man av likheten. Det var samma mörka hår och kraftiga ögonbryn, samma grå ögon och samma en aning för rundhyllta gestalt. Hennes ålder gick inte heller att missta sig på — man ser inte med så svärmiska ögon på tillvaron vid någon annan ålder än sjutton år.

— Det var väl skojigt att kommissarie Wijk också är här. Det visste jag faktiskt inte. Annars har ryktet nått oss att ni har fått invasion på Ön, må ni tro. Pappa träffade Larsson på Uvfallet, och han sa att "det först hade kommit ett fasligt grant fruntimmer med många väskor och mojänger — det var väl Lil, det — och med henne en karl, som såg ut som en cirkusare, och så dan därpå två kvinns till i bara byxera — vad han nu menade med det? var tanterna oanständiga på något sätt? — och dom lånade hans fiskebåt, som dom förresten inte hade lämnat tillbaka än". Och när mamsen hörde det tyckte hon synd om Ann, "som får lov att koka och diska åt så många människor, för det vet man ju hur det är med främmande på landet, dom hjälper minsann aldrig till med ett handtag i köket", och så tyckte hon det var bäst jag pilade hit och gick Ann till handa. Jag tog gummibåten på cykeln, och här är jag nu. Det gick fint att paddla, för jag hade medvind hela vägen.

Medan hon talade hade hon tömt den förbluffande rymliga gummibåtens innehåll på bryggan och började nu med några raska grepp plocka sönder själva kanoten. Vi hade stirrat och lyssnat under idiotisk tystnad, men till sist vaknade Eje upp till någon sorts aktivitet.

— Pyttan lilla, det var väldigt roligt att se dig och mycket rart av din mamma att tänka på Ann, men ärligt talat är vi så många här förut att det inte finns någon möjlighet att driva upp sovplatser till fler. Tror du inte ...

Pyttans grå ögon strålade mot honom.

— Jag har sovsäck och tält med mig — en modern amerikansk grej i nylon, lätt att bära och absolut vatten- och myggtätt. Så jag klarar mig alltid! — Vad väntar ni på? Ska ni inte följa mig upp till stugan?

— Sätt dig ner i stället och låt oss tala fem minuter. Einar var allvarlig och mycket bestämd. Vi har en del saker att berätta för dig.

73

Men Pyttan reagerade knappast som han hade tänkt sig. Hon var helt enkelt hänförd över utsikten att få vara med och uppleva ett mordproblem i verkligheten.

— Det är väl alldeles fantastiskt! Här har man i åratal slukat hundratals dåliga deckare — din var faktiskt en av de bättre, Eje! — och så ramlar man plötsligt rakt in i en av dem. Underskön kvinna mördad, liket försvunnet, känd detektivförfattare befinner sig bland de misstänkta, stilig poliskommissarie dyker upp på platsen...

— Pyttan, sade Einar strängt. Har du inga som helst känslor i kroppen?

— Känslor... för Marianne? Nej, du får ursäkta, men det har jag nog inte.

Den ljusa flickrösten lät plötsligt underligt kylig, och när hon reste sig och grep sin sovsäck var det ingen som försökte hindra henne. Karlarna bar i stället snällt unga fröken Hammars packning upp emot Lillborgen. Och jag undrade stillsamt vad Rutger skulle säga.

... Han sade en hel del, men allt studsade tillbaka på Pyttans bestämda föresats att stanna.

— Var inte fånig, sade hon när Rutger framhöll vådan för unga, känsliga flickor att bli inblandade i allvarliga mordaffärer. Jag tycker det hela är ruskigt kul, och av era miner att döma är ni känsligare än jag hela bunten. Och att Ann behöver någon som hjälper henne skulle vem som helst utom en karl se på henne.

Pyttan hade onekligen rätt, och redan efter en halvtimme härjade hon för fullt i Anns prydliga kök medan Ann låg inne i sovrummet med neddragna gardiner. Jag skämdes grundligt att jag gjort så få ansatser att erbjuda Ann mina tjänster, men när jag smög mig ut i köket och möttes av Pyttans glada: "Välkommen! Ni kan snoppa krusbär i massor, det älskar Rutger", undrade jag ändå om inte felet delvis varit Anns eget. Hon var så reserverad och otillgänglig att jag helst undvek allt umgänge med henne på tu man hand. Att snoppa krusbär tillsammans med Pyttan var däremot både trivsamt och uppiggande.

Hon berättade, allt under det hon skrapade potatis och eldade i spisen så att hon blev glödröd i ansiktet, att hon gick i tredje ring i ett flickläroverk i Stockholm.

— Det vill säga, nu är jag ju egentligen uppe i sista ring, men det är på något sätt svårt att fatta. Bara ett år kvar, och sedan . . .

När vi enats om att Uppsala var betydligt bättre än Stockholm för den som skulle studera franska men att Paris strängt taget var den mest ändamålsenliga studieorten och att det alltså skulle bli Paris, vad föräldrarna och Rutger än sade, var vi redan vänner för livet. Pyttan dolde inte att hon älskade och dyrkade sin bror över alla gränser även om hon fortfarande hade litet svårt att komma över att han inte ansett henne tillräckligt vuxen för att vara med på doktorsmiddagen. I nästan samma grad dyrkade hon Einar, som hon kände väl sedan sina spädaste dagar och som hon föregående år när hon ännu gick i läroverket i Västerås haft som lärare i historia. De superlativer hon i rask följd lade för hans fötter kom mig att rodna på hans vägnar, samtidigt som jag undrade om man ändå inte borde ägna sig åt lärarkallet. I Pyttans rymliga hjärta fanns det emellertid många boningar, och den allra största ockuperades för närvarande av hennes Älsklingsskald Carl Herman Lindensiöö. Det framgick att alla de unga damerna i den litterära gymnasieföreningen Felicitas svärmade för hans dikter och hans blyga leende — möjligen i omvänd ordning — och att minst fjorton elever i Pyttans klass bestämt sig för att "ta" honom som enskilt arbete. Pyttan hade emellertid utgått som segrare till stor del därför att hon inför både lärare och kamrater energiskt framhållit att hon under sommarlovet skulle komma att få utmärkta tillfällen att personligen umgås med den Store. Jag såg upp från köttbullssmeten, gripen av en fruktansvärd misstanke.

— Säg inte att det var *därför* du kom hit? Nu förstår jag varför du är så ointresserad för våra små mord.

De grå ögonen var bräddfulla av oskuld. Hon gnolade på kärleksduetten ur Lohengrin och skar frånvarande en lök i två delar . . .

När hon så småningom återvänt till jorden försökte jag förmå henne att lika ohämmat yppa sina tycken angående damerna i vårt sällskap, men nu var Pyttan inte längre så talför. Lil var tokig och kul, Viveka hade hon aldrig träffat förr, och Marianne ville hon tydligen inte alls diskutera. Jag blev inte heller klok på vad hon egentligen tyckte om svägerskan, men det var alldeles uppenbart att man hemma på Borg föredrog Ann många gånger framför Marianne.

Så var middagen färdig, och vi biträddes vid dukningen av en dyster och sammanbiten George. Pyttan stirrade förhäxad på den gungande trampolinen på hans ryggsida, och jag efterlyste så snart jag kom åt hennes omdöme om vår manliga skönhet. Men Pyttan var häpnadsväckande likgiltig.

— Han är för vacker, dekreterade hon. Tror du att hans tänder är äkta? Men skjortan är underbar!

Utan Pyttan hade middagen säkert blivit ett lidande. För hon hade sannerligen rätt när hon efter några blickar runt det tigande bordssällskapet förkunnade:

— Jag har då aldrig sett en sådan samling sura miner! Det är klart att jag begriper att det inte är särskilt skojigt att gå omkring och vara misstänkt för mord, men det blir väl inte ett smul bättre för att ni totalt tappar anletsdragen allihop. Ät nu köttbullar och låt oss prata om vad som helst bara inte om mord.

— Flickan är klokare än de närvarande doktorerna och licentiaterna i förening, konstaterade Viveka torrt och satte sig en aning rakare i stolen. Vi måste försöka uppföra oss normalt om vi över huvud taget ska komma igenom det här.

Christer nickade gillande, och Pyttan började genast att tala om "vad som helst". Hon hade placerat sig mitt emot Carl Herman, och nu såg hon på honom och suckade:

— Det är väl underbart att vara skald? Ibland tänker jag att det måste vara ännu tjusigare att vara operasångare eller skådespelare, då kan man mera *direkt* känna publikens hänförelse, om skriftställarn förstår vad jag menar? Men så går jag hem och läser någon av era dikter — till exempel "Natten ropar" eller "Det växer liljor i dina händer" och ...

— Ja, den är verkligen fin. För den diktens skull kan man förlåta Carl Herman nästan allt! Lil log ett smältande leende mot Carl Herman, och hennes guldfärgade ögon innehöll tusen löften.

Carl Herman såg ut som om han höll på att vakna ur en ond dröm. Han höll fast Lils blick och hörde säkert inte bråkdelen av vad Pyttan pratade. Men en Stockholmsgymnasist, som är ute för att samla material till sitt enskilda arbete, ger sig inte i första taget.

— Tror skriftställarn på Gud? frågade Pyttan, och Einar

satte pilsnern i halsen. Carl Herman rodnade lätt, men Pyttan upplyste allvarligt att hennes modersmålslärare påstod att Lindensiöö var ateist men att hon hade rysligt svårt att tro på det efter den sista diktsamlingen. Ville inte skriftställarn själv ...?

— Skalder är sensibla varelser, sade Einar förmanande. Så där närgången får man sannerligen inte vara efter en halvtimmes bekantskap.

Pyttan förklarade sig villig att vänta med religionen till något senare tillfälle och undrade i stället:

— Vad anser skriftställarn om den fria kärleken? När man analyserar "Först i ditt sköte föddes jag" får man verkligen det intrycket ...

Men nu ingrep flera personer på en gång och förkunnade att de hade ett intryck av att Carl Hermans poesi knappast var en lämplig lektyr för skolflickor. Pyttans energiska försäkran att fjärderingare minsann hade lika mycken mognad och erfarenhet som de flesta gamla torra akademiker blev upptakten till en animerad diskussion, som definitivt räddade middagen. Carl Herman gav sin honnör åt Pyttans mognad genom att be henne för Guds skull sluta med att kalla honom skriftställarn, och jag skyndade mig att föreslå allmän titelbortläggning — inte bara för Pyttans trevnads skull utan lika mycket för att slippa höra Christer säga "herr Malm" i sin högdragnaste ton så snart han måste tilltala Jojje.

Den onaturliga spänningen hade släppt. Visserligen var Marianne död, och ingen av oss kunde ens för en minut glömma den saken, men vi hade, tack vare Pyttan, återvunnit vår behärskning och vårt normala sätt att vara och konversera. Och jag fann att den oberörda ton, som Lil anslagit redan på förmiddagen och som då retat mig obeskrivligt, var det bästa medlet att undvika hysteri och tårefloder även när vi en stund senare på nytt tog upp ämnet mord och mördare.

Vi hade som vanligt efter middagen flyttat ut på gräsplanen, och Pyttan ilade beskäftigt omkring och serverade sitt nykokta kaffe. Det var fortfarande en aning kyligt i luften, och Ann sade med en bekymrad huvudskakning att hon inte tyckte om att Pyttan skulle ligga i tält.

— Men på soffan i sällskapsrummet får vi väl lägga kommissarien, åh — Christer menade jag. För jag antar att du vill stanna

77

här i natt?

— Jag hade tänkt fara över till Forshyttan ett slag. Men om jag får komma tillbaka är jag mycket tacksam.

Carl Herman, som tydligen också oroade sig för sin hängivna beundrarinnas nattro, inföll hastigt:

— Det är ju en säng ledig i... i Vivekas rum. Om inte Pyttan och Viveka vill ligga där kunde väl Eje och jag byta med dem.

Mariannes tomma säng upptog för ett ögonblick allas tankar, men Viveka försäkrade lugnt att ingen behövde göra några extra arrangemang för hennes skull.

— Jag tar en sömntablett och somnar genast. Om det är någon annan som vill ha tabletter så är det bara att säga till. Vad Pyttan beträffar...

Men nu hade Pyttan slagit sig ner i gräset vid Carl Hermans fötter och var redo att själv kasta sig in i diskussionen:

— Jag ligger i tält, har jag sagt. Det är ju mitt första tillfälle att pröva mitt jättefina nylontält. Ni ska få se: det är ljusgrönt utanpå och helvitt inuti, och så har det fönster med myggnät och golv. Jag försökte ligga i björkhagen hemma en natt, men då sa pappa att gubbarna på bruket skulle tro att han förskjutit och portförbjudit sin enda dotter, så det blev ingenting av med den saken. Vad är ni rädda för förresten? Jag har sovsäck, och i den ligger jag varmare än ni gör.

— Men du ligger så ensam. Ann var ännu inte vunnen för frisksportaridéerna. Och det har redan börjat bli riktigt mörkt på nätterna. Tänk om...

— Ja, tänk om Mördaren skulle komma utklivande och strypa mig genom myggfönstret. Neej, Ann lilla, det behöver du inte oroa dig för. Jag är alldeles för ointressant för att någon skulle göra sig besväret att mörda mig. Men om du vill kan jag ju beväpna mig med Rutgers revolver, den där han har i en bordslåda bredvid sängen ifall någon tjuv skulle hedra Lillborgen med ett besök — fast himlen vete vad en tjuv skulle kunna leta efter här: jag kan skjuta, det har Rutger själv lärt mig...

— Om du bara tiger tio minuter får du allt vad du vill, suckade Rutger.

Pyttan teg snällt, och det uppstod en lätt tystnad. Helt oväntat sträckte Christer Wijk fram handen och frågade:

— Är det någon som känner igen det här?

I hans handflata låg en svartglänsande liten orm. Lil kvävde ett utrop, men Christer hade sin blick stadigt fästad på Rutger, som efter ett enda snabbt ögonkast på hårspännet envist såg ner i marken.

Vivekas röst skälvde en smula:

— Det... det är ju Mariannes.

— Du kände igen det, Rutger, gjorde du inte det? Christer talade lågmält men uppfordrande.

Rutger drog hörbart efter andan. Därefter sade han ett andra ord:

— Nej.

Christer riktade motvilligt sin uppmärksamhet mot Viveka.

— Hade hon ägt det länge?

— Hon skaffade sig det rätt nyligen. Samtidigt som hon lade sig till med den där "raffinerade frisyren", som Puck tycks ha blivit så intagen i.

— Bar hon det när hon gick härifrån i går förmiddag?

— För så vitt hon inte hade ändrat frisyr gjorde hon det. Men jag är inte så intresserad av sådana saker, så jag vill inte svära på hur hon såg ut i huvudet.

Men George intygade att Marianne sett ut precis som vanligt och att hennes mörka hår varit lika konstfullt upplagt som när hon anlände till Ön.

Christer Wijk avfyrade nästa fråga.

— Hur många av er har varit i ekan sedan klockan ett i går?

— I ekan? Carl Herman lät som om han tvivlade på Christers förstånd.

— Jag sa: i ekan.

Rutger var mera meddelsam den här gången.

— Jag var i Lillsjön med ekan mellan tolv och fyra, det har jag ju redan talat om. Och vid halvniotiden i går kväll var Eje och jag ute ett slag för att lägga ut nät, men det började hagla så att vi hann aldrig få ut dem.

— Är det allt?

Jag räckte skuldmedvetet upp en hand, men jag räknades tydligen inte.

— Då är jag ledsen att behöva säga att det här hårspännet är det enda spår vi har efter Marianne. För närvarande vilar hon säkerligen i Uvlången.

Den ytterligare häpnad, som stod målad i allas ansikten, verkade absolut äkta. Och ändå måste det ju vara en av dem, som spelade. Goda nerver, hade Christer sagt...

Christer förklarade i korthet att liket var försvunnet och att det varit det redan när jag fört Einar till granen vid halvsjutiden på morgonen. Han nämnde hänsynsfullt nog ingenting om min specielle vän fjärdingsmannen.

Och så blev det nytt förhör.

— När skildes ni åt efter nattsexan i går?

— Ungefär klockan ett.

— Det tycks vara det magiska klockslaget i den här historien, konstaterade Pyttan, som lyssnade med öron och alla sinnen.

— Kan någon av er bevisa vad han hade för sig mellan ett och halv sju i natt?

— I varje fall inte jag, sade Viveka. Jag låg ju ensam i mitt rum.

— Einar och jag gav oss i väg vid tretiden. Jag tystades av en förkrossande blick från Christer och påminde mig att han ingenting sagt om vår expedition till Forshyttan.

Men Lils min klarnade.

— Det var inte underligt då att jag drömde att jag var så ensam, för att alla människor hade gått ifrån mig.

— Var det ingen av er, som var uppe eller ute? Som såg eller hörde någonting?

— Jo, vänta... George hade fått ett ivrigt uttryck i sitt vackra ansikte. Det var ju i natt jag vaknade av att någon gick utanför mitt fönster. Jag har aldrig gardinen nerrullad, och jag fick för mig att någon stod och såg in på mig, men så rörde jag väl på mig när jag vaknade, och sedan hörde jag bara steg som avlägsnade sig. Jag tittade på klockan — den var halv fyra — och jag undrade vem som var uppe så tidigt, men så somnade jag om igen och... ja, jag är rädd att det här inte är till mycket hjälp?

Christer såg på grusstigen runt stugan.

— Det är i det lilla rummet bredvid sällskapsrummet du bor? Ditt fönster vetter alltså hit ut mot gräsplanen?

Jag följde hans blick, och vi gjorde antagligen samma reflexion. Varför behövde mördaren över huvud taget gå förbi den del av huset, där George bodde? Från gästflygeln gick vägen till granen naturligen rakt genom skogen, och även om man valde att gå upp till rönnen för att sedan följa stigen, passerade man endast östra gaveln med dess fönster in till Hammars sovrum. Inte ens om Georges nattlige åskådare varit Rutger — eller Ann — kunde man förklara hans avstickare till Georges fönster. För så vitt han inte gått ut genom köksdörren på vänstra gaveln och därpå smugit sig utmed framsidan av huset. Men varför hålla sig på grusgången tätt intill fönstret när det fanns en gräsplan? Det hela var alldeles obegripligt. Försökte George bara mystifiera oss?

Christer Wijk lät ämnet falla och sade i stället att han tänkte fara över till Forshyttan för att telefonera några samtal. Han undrade om Marianne hade några släktingar, som borde underrättas. Viveka upplyste honom om att de närmast sörjande var ett par kusiner, vilka säkert inte skulle beröras alltför djupt av det inträffade.

— Om de inte får ärva förstås. Hon lät bitter på väninnans vägnar.

— Vart hade Marianne för avsikt att resa när hon gav sig i väg härifrån?

Det var fortfarande till Viveka han riktade sig.

— Till Stockholm på ett par dagar. Sedan tänkte hon visst fara till Båstad.

Christer anhöll att få Einar som lots. De gav sig i väg, och Pyttan och jag gick ut i köket för att diska. Vi stängde omsorgsfullt alla dörrar och överlämnade oss åt ett vilt och ohämmat teoretiserande. Pyttan hade bestämt sig för att det var Jojje, som var mördaren, Jojje eller möjligen Viveka. Eller Lil.

— Det är bara därför att du är alltför personligt engagerad i de övriga. Du vill helt enkelt inte tänka dig att det lika gärna kan vara ... Jag hejdade mig och bytte ut "Rutger" mot "Carl Herman".

Men när jag en stund senare hittade George upprört marscherande fram och tillbaka på den öde gräsplanen undrade jag om inte Pyttan hade rätt. Den annars så levnadsglade och nästan irriterande harmoniske George var blek och rastlös, och jag såg när jag äntligen fick ner honom i en av trädgårdsstolarna och tvingade honom att möta min blick att han var djupt olycklig.

— Men Jojje, vad är det? Har det hänt någonting?

— Neej ... nej då, hur kan du tro det. Jag tycker bara att allt-

81

ihop är så fördömt otäckt. Men George var, som han själv en gång påpekat, ingen god skådespelare, och han övertygade mig inte.

— Kände du Marianne väl? sade jag försöksvis.

— Jag hade träffat henne ett par gånger på konstskolan. Men det var bara vid sådana tillfällen då minst ett tjog andra människor surrade omkring en.

— Du var mycket förtjust i henne, var du inte?

Han nickade kort. Så reste han sig och återtog sin nervösa vandring.

— Vi badade tillsammans i går morse innan ni var uppstigna. Åh, du skulle ha sett henne. Hon var så vacker att det gjorde ont i en. Och när vi skildes lovade hon att träffa mig i ...

Han avbröt sig plötsligt. Och i en betydligt normalare ton frågade han var jag gjort av Pyttan. De övriga hade gått på en promenad, meddelade han.

Jag förstod att det var slut på alla förtroenden och att han redan ångrade dem han givit.

Resten av kvällen var fylld av Pyttans, Georges och mina förtvivlade ansträngningar att sätta upp det mygg- och vattensäkra nylontältet. Jag är rädd att vi mest av allt påminde om en dålig Bob Hopefilm, och vi uppskattades också som en sådan av Eje och Christer, som vid återkomsten från Forshyttan fann oss ohjälpligt intrasslade i pinnar, linor och myggnät. De var fånigt och manligt överlägsna och satte mycket riktigt upp tältet stadigt och elegant inom loppet av tio minuter. Jag frågade vad de haft för sig, och det framgick att Christer haft ett långt samtal med Stockholm och ett kortare med polisstationen i Skoga. Överkonstapel Berggren skulle komma över i morgon, och Christers största bekymmer tycktes för närvarande vara att han inte hade något lik att visa honom. Jag förstod utan att de sade det att ingen var särskilt hågad att sätta i gång några intensivare undersökningar så länge det bara fanns mitt ord att bygga på. I Stockholm hade man tydligen rått Christer att ta det hela lugnt tills man hunnit ta reda på ifall fröken Wallman kanske hade anlänt till huvudstaden.

Jag kunde inte klandra dem, och innan jag föll i en dvalliknande sömn på de tabletter, som Viveka frikostigt utdelat till både mig och Ann, hoppades jag innerligt att det skulle visa sig att jag vid vissa tillfällen, till exempel under åskväder, inte var fullt tillräknelig och tillförlitlig.

Jag väcktes på söndagsmorgonen av Pyttan, som skakade mig så att hela sängen hoppade. Mycket tung i huvudet stirrade jag på henne och fann att hon endast var iförd baddräkt och att det mörka håret var drypande vått.

— Snälla Puck, vakna! Du måste komma med mig. Jag har hittat något ...

Jag tumlade ur sängen, såg att Lil redan var utflugen, kröp i långbyxor och angora — vilket var alldeles felaktig klädsel, det kände jag så snart jag kom ut i den varma morgonluften — och störtade i fyrsprång efter Pyttan, som hade satt full fart genom skogen. Så småningom hann jag ifatt henne och frågade flämtande vad som stod på. Hon skakade på huvudet och fortsatte att springa neråt sjön. Slutligen berättade hon emellertid att hon vaknat klockan åtta och genast gått ner och badat. Hon hade inte sett till någon människa och hade till sist sprungit rakt över udden till båtbryggan för att hämta kanoten. Hon hade tänkt sig att paddla runt Ön, men strax innan hon kommit till Stupet hade hon ...

— Vänta, ska du få se Puck, här någonstans måste det vara. Jag vågade inte se efter ordentligt, men jag tror att det är ...

Vi hade hunnit ner till stranden, och Pyttan drog mig med på sin vingliga färd på de stora stenarna utmed vattenranden. Himlen var absolut molnfri, solen stekte, och vita måsar seglade makligt fram över den blickstilla Uvlången. Så grep hon mig i armen.

— Där, sade hon, där ute i vattnet mellan stenarna.

Jag var fortfarande alltför omtöcknad av sömnmedlet för att känna vare sig nyfikenhet eller rädsla. Jag böjde mig fram och såg något skimra i det klarbruna vattnet.

— Vi måste försöka få upp henne, sade jag apatiskt. Annars kanske hon flyter bort.

Jag drog upp byxorna och tog några steg ut på den slippriga stenbottnen. Och så såg jag.

Vita fiskar, som äntligen simmade omkring i sitt rätta element. En vajande trampolin med badande najader.

— Puck, viskade en skräckslagen röst bakom mig. Det är ju inte Marianne. Det är Jojje.

Åttonde kapitlet

— Och jag som trodde att det var Jojje, som var mördaren. Pyttan lät mycket dyster, men hennes tonfall sade mig att den första förskräckelsen hade gått över. Vi stod alltjämt kvar i det klara, varma vattnet på några meters avstånd från vårt fynd.

— Det är ju inte klokt, fortsatte hon. Ett mord kan ju gå an, åtminstone har jag en viss förståelse för ett mord på Marianne, det måste jag säga om jag ska vara fullt uppriktig — men två mord på ett par dagar, det är litet för starkt.

Hon flyttade sig försiktigt framåt på de hala stenarna. Den släta mörkblå baddräkten avslöjade obarmhärtigt de alltför runda formerna, men hon verkade — alldeles som Rutger — spänstig och smidig. Vattnet stod henne till höfterna när hon nådde fram till George.

— Han ligger framstupa, rapporterade hon. Och skjortan är sönderriven. Den fladdrar så sorgligt. Jag undrar om vi ska ta upp honom själva. Det är ju väldigt viktigt i alla deckare att man inte rubbar på liken, men tror du det gäller när de ligger i vattnet också? Fast jag tror inte precis att han kan flyta bort . . .

Hon vände sig om och fick se mig.

— Puck, snälla du, du tänker väl inte svimma? Kom, så går vi i land. Jag skulle naturligtvis ha tagit Christer med, men jag fick inte tag på honom, och så sprang jag till dig. Vill du att vi ska gå härifrån?

Det var onekligen precis det jag helst av allt ville, men så mycket förstånd hade jag i behåll att jag begrep att Christer Wijk aldrig någonsin skulle förlåta mig om jag lät ännu ett lik bli bortsnappat innan han hunnit titta på det. Jag skakade därför avvärjande på huvudet.

— Nej, jag stannar här och vaktar lik . . . vaktar George, så får du springa upp till stugan och försöka leta reda på Christer. Men säg ingenting till någon annan och sno dig . . .

Pyttan stack i väg som om hon varit den första Maratonlöparen, och jag placerade mig på en flat stenhäll för att börja min likvaka. Och jag tänkte att om vi hållit en sådan över Marianne så hade hon aldrig försvunnit för oss. Först nu slog det mig hur egendomligt vi hade uppfört oss, både Einar och jag, när vi helt enkelt hade låtit henne ligga där... ute i skogen under granen. Einar hade inte ens yrkat på att få se henne innan vi for in efter fjärdingsmannen. Så brukade man bestämt inte behandla döda människor? Jag hade väl varit halvt från vettet av skrämsel, men för Einar gällde knappast den ursäkten... Och nu var det George. Jag måste ge Pyttan rätt i att ett mord på Marianne var både förståeligt och på något vis acceptabelt: men vem kunde vara så rå att han förgrep sig på en sådan pojke som George? På vad sätt hade hans öde varit sammanvävt med Mariannes? Han verkade så ovanligt lätt att komma underfund med: en nästan hedniskt grann yngling med starka drifter och med mycket liten hjärna. Jag ansträngde mig att summera mina intryck av honom, och jag märkte att det jag mindes mest var rena synbilder. George, när han gjorde sin entré uppe på gräsplanen i Lils kölvatten. Georges ögon och långa ögonfransar i starkt förstorad närbild, när han försökte kyssa mig i skymningen. George och Ann-Sofi i en skogsglänta samma natt. George, som bokstavligen strålande av lycka och klädd i en lilablommig utanpåskjorta, försvann med Marianne kvällen därpå. Lil, Ann, Marianne. Vem av dem satt inne med förklaringen till att han nu låg här ute i vattnet död och kall?

Därpå greps jag av en fruktansvärd tanke: tänk om han inte var död? Tänk om det inte alls var fråga om mord, om han bara fallit ner från Stupet och slagit sig medvetslös? Kanske kunde man få liv i honom med konstgjord andning om man bara gjorde något i stället för att sitta här alldeles idiotiskt sysslolös?

Jag hade gripits av rena paniken och rusade plötsligt fram och tillbaka på stranden eftersom jag inte kunde bestämma mig för om jag skulle störta ut i vattnet eller in mot land eller till äventyrs stanna där jag var.

Då dök en gestalt fram ur skogen, och jag drog en darrande suck av lättnad när jag såg att det var Einar. Han kom uppifrån Stupet, och när han fick syn på mig stannade han häpen.

— Men Puck, vad i all världens dar gör du här ensam vid sjö-

85

stranden i arla morgonstunden? Och kära barn, så du ser ut. Vad är det?

För andra gången ingick min angorajumper en intim förening med Ejes gröna jacka, och jag hackade fram osammanhängande saker om Stupet och Pyttan och Georges skjorta och konstgjord andning, vilket allt Einar åhörde med bekymrad min och utan att begripa ett dyft. Men nu hördes också Pyttans röst mellan träden, och det dröjde inte länge förrän Eje och Christer var på väg ut mot George. De kom snart tillbaka och lade under tystnad ner sin börda i mossan.

— Så vacker han är, sade Pyttan halvhögt. Inte trodde jag att en död människa kunde vara så vacker.

Nästan mot min vilja gick jag fram till de andra tre och tvingade mig att se ner. Den lustiga skjortan och de korta fiskprydda byxorna såg underligt patetiska ut när de klibbade fast vid den orörliga, fulländat sköna gestalten. På nytt förundrade jag mig över att en man kunde ha så långa och så täta ögonfransar. Men hela tiden var det något annat som pockade på min uppmärksamhet; jag visste att det var något i den dystert sköna tavlan, som var egendomligt och felaktigt, något som helt enkelt inte hörde hit.

— Vad är det han har i handen? sade Pyttan, och då visste jag det.

I ett krampaktigt grepp höll George en lång och våt röd sidenscarf.

Christer betraktade mig frågande.

— Ja viskade jag, det är hennes. Det är den hon hade runt halsen... Tror ni... tror ni att det ändå var George, som hade gjort det?

— Självmord? Christer lät tvivlande.

— Naturligtvis, utbrast Pyttan upphetsad. Han mördade henne därför att han var svartsjuk — fråga mig inte på vem, för det vet jag inte, men när det gällde Marianne hade han väl alltid någon anledning — och sedan kunde han inte bära samvetskvalen. Han tog scarfen, som han hade gömt som ett minne av sin älskade, med sig och gick upp på Stupet mitt i natten, och så kastade han sig i, för han visste att det inte är så djupt som det ser ut, så man måste slå ihjäl sig om man dyker därifrån...

— Visste han det? frågade Christer Wijk torrt. Han hade lagt sig på knä i mossan, och nu vände han varsamt på den döda kroppen. Jag hade satt mig på en sten en bit därifrån, och jag var glad att jag satt när Christer efter några minuter talade igen. Till den grad förbluffande var nämligen det han sade.

— Han har slagit sig illa, det är sant, men det är inte det han har dött av. Han är skjuten. Skjuten strax under skulderbladet. Kulan har gått in bakifrån och sitter troligen kvar någonstans i bröstkorgen.

— Skjuten! Men ... men vad hade han då i vattnet att göra?

— Bakifrån?

— Varför har han då Mariannes scarf i handen? Varifrån har han fått den?

Vi var alla lika misstrogna. Christer reste sig och borstade omsorgsfullt den gröna mossan från byxorna.

— Ja, om jag kunde svara på de frågorna vore förmodligen det mesta av problemet löst. Men nu får vi nog handla i stället för att grubbla. Det är bäst att han får ligga här tills överkonstapel Berggren kommer med en kamera.

— Så fick du ändå ett lik att visa honom, sade jag med ett ynkligt försök att skämta.

Christer nickade bistert. Därpå såg han på sitt armbandsur.

— Klockan är en kvart över tio; Berggren skulle vara vid Uvfallet strax efter tolv. Jag lovade att vi skulle möta honom där. Men till dess är det nog bäst att någon stannar här och håller vakt. Vi törs väl knappast ta risken att lämna Jojje åt sitt öde.

— Jag stannar, sade Einar hastigt, om du tar flickorna med härifrån. Men kunde man inte breda någonting över honom?

— Jo, instämde Christer, jag tänkte just be Pyttan kila tillbaka upp till stugan och hämta ett lakan av något slag. Men försök att göra det så diskret som möjligt — ännu tror jag inte vi ska annonsera det för de andra.

— Jag kan ta mitt badlakan. Duger det? Det ligger borta på bryggan. Pyttan var redan på väg ner mot kanoten, som låg halvt uppdragen på land en liten bit från den plats, där hon funnit George. Hon vände sig om när Christer ropade efter henne.

— Kan du sköta motorbåten, Pyttan? Skulle du kunna fara in och hämta Berggren. Och så ska du ...

— Ja, visst kan jag. Men vore det inte bättre att Rutger ...

Pyttan mötte Christers blick, och plötsligt blev hon kritvit.

Hennes grå ögon vidgades, och hon tog ett par steg fram emot honom.

— Jag vill bara säga dig, Christer, att om du är så dum att du misstänker Rutger ger jag inte fem öre för din talang som detektiv. Han skulle aldrig, aldrig göra något sådant, hur mycket ont Marianne än har gjort honom, hans enda önskan var att han aldrig någonsin skulle behöva se henne igen ...

Einar lade beskyddande sin arm om Pyttans bara axlar.

— Lugna dig, det är ingen här som tror att Rutger har gjort någonting alls. Christer måste bara behandla allihop som eventuellt misstänkta, det är spelets regler förstår du. Den enda som absolut står utanför hela röran är ju du.

Pyttan blängde emellertid fortfarande tjurigt på Christer, och denne svarade leende:

— Om Rutger har samma humör som fröken Pyttan borde man ju misstänka honom för vad som helst.

— All right. Pyttan stötte ut kanoten. Jag kanske tog i litet för häftigt. Var det något mer jag skulle uträtta?

— Mm. Känner du fjärdingsmannen i Forshyttan?

— Guss Olsson? Så klart.

— Ta då så god tid på dig att du hinner uppsöka honom innan överkonstapel Berggren anländer. Bed honom att skicka hit en läkare. Och hälsa Olsson att nu har vi ett annat lik till påseende ifall det kanske passar bättre.

— Du är inte klok, sade Pyttan, som ingenting hade hört om fjärdingsmannens roll i historien, och därmed försvann hon.

— Du är våt, sade Christer med en blick på mina röda byxor. Ska du gå upp och byta, eller kan du följa med mig?

Först nu märkte jag att byxorna klibbade vått och kallt utmed benen efter min expedition ut i vattnet, men Christers lugna energi var befriande och smittsam, och jag kavlade beslutsamt upp byxbenen. Vi vinkade farväl till Einar, som med rätt nedstämd min stoppade sin pipa, och började klättra uppför sluttningen till Stupet. Vi befann oss en bra bit närmare sjön än Einar och jag gjort då vi företagit vår lekfulla språngmarsch ner från berget, och här var det brant och besvärligt att ta sig upp. Men Christer var tydligen inte hågad att göra några omvägar.

— Inte för det att jag tror på Pyttans teorier att George kulle ha varit trött på livet och självmant kastat sig ner från Stupet. Den där kulan i ryggen har han minsann fått hjälp med. Men det förefaller ganska troligt att den som sköt honom också slängde ner honom just här uppifrån branten. Han låg ju alldeles i närheten av Stupet, och de där blodsutgjutelserna på hans högra arm och lår skulle kanske kunna förklaras av att han slagit mot vattnet från stor höjd. Det skadar i varje fall inte att ta sig en titt på själva bergsplatån.

Men om det hade utspelats ett drama här uppe på klippan så utgjorde platsens egen beskaffenhet den bästa garantien för att det skulle förbli en hemlighet mellan de agerande. Det täta lingonriset lyste friskt och till synes orört, och den nakna stengrunden längst framme vid Stupet skvallrade ännu mindre. Jag lade mig på magen och kikade över kanten. En lodrät brant, som snarast sluttade en aning inåt, en spegelblank vattenyta och rakt under mig ett djup, som inte gick att pejla, var allt jag kunde upptäcka. Men bara några meter till höger om detta djup skymtade nere i det klara vattnet stora och vassa stenar. En bit därifrån var det som Pyttan hade funnit Georges lik i en liten inbuktning vid södra sidan av det egentliga Stupet. Jag drog mig försiktigt tillbaka, reste mig och gick fram mot söderssluttningen för att se om jag uppifrån kunde skymta Einar, där han höll vakt inne vid stranden, men några stora granar vid bergets fot dolde honom fullständigt.

Christer, som en längre stund varit verksam bakom min rygg, satt nu mitt i lingonriset, och det flödande solljuset avslöjade att han såg både trött och nedslagen ut. Jag kastade mig raklång vid hans sida och betraktade honom under tystnad.

Sedan ett dygn tillbaka hade vår tillvaro helt och hållet dominerats av denne man, men jag förstod först nu, när han inte längre var överlägsen och effektiv, hur absolut jag redan lärt mig att lita till hans intelligens och omdöme. Jag letade efter ord för att trösta och uppmuntra, men det blev inte mer än ett tafatt:

— Inte ska du se så ledsen ut! Du kan ju ändå inte rå för att Jojje blev mördad.

De trötta fårorna djupnade i hans ansikte.

— Det är just det jag inte är så säker på. Om jag hade sett till att vi hade fått hit ordentlig polisvakt redan i går hade det här kanske aldrig hänt.

Vi hörde ett ögonblick helt förstrött hur Pyttan startade motorbåten nere vid båtbryggan. Christer gjorde en otålig rörelse.

— Det är klart att jag kan ursäkta mig på tusen sätt. Jag har inte officiellt hand om fallet. Fjärdingsmannen, som borde ha satt apparaten i gång men underlät att göra det, är den som bär ansvaret. För övrigt var jag ännu i går osäker om det verkligen var ett fall — du får förlåta Puck, men vad jag hade att stödja mig på var bara din en aning hysteriska berättelse och så småningom ett hårspänne. Men ändå ...

— Prata inte dumheter, Christer. Om det var meningen att Jojje skulle bli skjuten så hade han blivit det även om alla fjärdingsmän i hela Bergslagen patrullerat runt Lillborgen.

Han smålog en aning.

— Är du fatalist? Ja, det är nog skönast om man kan vara det. Men för resten är det möjligt att du har rätt. I varje fall kan jag intyga att det är ganska hopplöst att hålla reda på vad ett halvt dussin människor har för sig nattetid i skogarna här på Ön. Fast om vi hade varit ett par man till ...

— Var du ute i natt? frågade jag både häpen och nyfiken.

— Ja, och jag var inte ensam om den saken. Det verkar som om de flesta av Lillborgens invånare vore älskare av nattliga skogspromenader.

Jag hade satt mig kapprak och bad med glödande kinder:

— Berätta!

— Jaa ... Christer såg på klockan. Jag är rädd för att det får bli senare, Puck. Ann har tillkännagivit att frukosten serveras klockan halv tolv, och vi ska försöka passa den.

Han tog mig varligt men bestämt under armen och förde mig under artigt men lika bestämt småprat nerför stigen på bergets baksida. Medan vi följde den smala och slingrande skogsstigen konverserade jag lydigt om Uppsala och Fredrika Bremer och den nya professuren i litteraturhistoria, samtidigt som jag tänkte att dessa saker ganska säkert intresserade kommissarie Wijk till och med ännu mindre än mig.

Därpå satt vi på nytt runt frukostbordet i det svala och rymliga sällskapsrummet. De senaste dagarna tycktes mig bestå av en serie måltider: till en början uppsluppna och trivsamma, efter hand alltmer irriterade och dystra. Måltiderna var de tillfällen på dagen då hela sällskapet tvingades att vara tillsammans och för en stund sitta öga mot öga, och jag tänkte att de måste vara de värsta pinostunderna för den som hade brott och skuld att dölja. Och på nytt såg jag mig nyfiket omkring och försökte uppfånga nyanserna i det som sades.

Trots död och elände hade de flesta tydligen kommit ihåg att det var söndag och gjort sig helgdagsfina. Ann hade en bländvit linneklänning, som kom henne att se ännu svalare ut än vanligt, och det ljusa håret var luftigt och välkammat. Bredvid henne föreföll Lil med sitt guldröda hår och sin späda gestalt, vars alla konturer behagfullt framhävdes i en knallgrön, mycket åtsittande sidencreation, lustigt färgrik och raffinerad. Hon påminde mig om den vackra salamandern i någon av Hoffmanns berättelser. Jag hade alltid tidigare undrat hur man skulle föreställa sig en salamander...

Carl Herman var absolut hjärteknipande i en himmelsblå fluga till sin grå sidenskjorta, och till och med Rutger hade bytt ut sina shorts mot vita långbyxor. Det var en tröst för mig med mina skrynkliga och uppkavlade byxben att åtminstone Viveka uppträdde i sin välkända brun- och gulrandiga bomullsblus och sina opressade byxor.

Rutger var fruktansvärt blek och började få mörka ringar under ögonen; de övriga verkade förvånande pigga. Naturligtvis saknade man genast de tre frånvarande.

— Var är Einar? sade Ann, som bar in den dilldoftande potatisen.

— Var är Pyttan? undrade Carl Herman. Jag har drömt om henne i natt. Hon frågade mig hur många kvinnor jag älskat och om jag ville skriva min autograf på ett mygg- och vattensäkert nylonpapper. Jag vaknade och förstod att jag måste skriva en dikt om henne.

— Och *var* är Jojje? Lil såg sig omkring i rummet som om hon letat efter en hundvalp. Han som alltid är så hungrig.

— Jag har skickat dem till Forshyttan, meddelade Christer utan att darra på rösten. I synnerhet Pyttan. Jag vågade inte ta risken att Carl Herman skulle kollra bort henne ytterligare.

Lil trutade med munnen.

— Du hör ju att det är hon, som håller på att kollra bort Carl Herman. Han tål inte att utsättas för så mycket smicker och så mycket ungdom. Lammkött...

— Jag ber att få framhålla att det är om min syster du talar, sade Rutger, och han lät uppriktigt förargad.

— Snälla Rutger, jag påstår ingenting annat än att hon bör vara tilltalande för en gammal roué som Carl Herman.

— Tänk, är han verkligen det? insköt Viveka med förvånat höjda ögonbryn. Jag har liksom alltid föreställt mig att alla de där kärleksdikterna mer berodde på flitigt studium av osedliga romaner än på ett dåligt leverne. Men det är väl utseendet som bedrar.

Carl Herman skänkte henne ett av sina pojkaktiga leenden, och jag läste i hans ögon att han på nytt trivdes mycket bra med tillvaron. Hans lynne tycktes vara lika skiftande som sommarvädret och lika svårt att förutse och förklara som detta.

— Sov ni gott på mina tabletter? frågade Viveka, och Ann och jag försäkrade entusiastiskt att vi varit som avsågade från omvärlden.

Viveka nickade.

— Ja, jag somnade nästan omedelbart fast jag hade trott att jag aldrig skulle kunna sova mer. Inte vet jag vad det är för skumma saker i dem, men bra är de. Jag har fått dem en gång av en medicinargosse, och jag brukar ta dem med när jag är ute och reser, för då tycker jag alltid det är svårt att sova.

Hon fick eld på en cigarrett av Rutger, och de kloka ögonen betraktade honom prövande. Så sade hon vänligt:

— Delade du inte med dig till Rutger, Ann? Han ser ju alldeles förstörd ut.

Den tystnad, som uppstod, blev så kompakt att Viveka halvt förskräckt mumlade:

— Jag har ett intryck av att min klumpiga person har trampat rakt igenom den tunna isen. Jag är förtvivlad, och om det kan lätta upp stämningen ska jag gärna avlägsna mig. Men stirra bara inte så där på mig, Ann-Sofi.

Hon fimpade sin cigarrett och reste sig till hälften.

Men Christer hejdade henne.

— Nej, stanna. Jag vill tala med er alla. Servera kaffet, du Puck, vi kanske kommer att behöva det.

Han lutade sig tillbaka på stolen och fixerade de brunbetsade takbjälkarna.

— Eftersom det blev tal om sömn så kan jag upplysa om att

jag inte sovit särskilt mycket i natt. Men jag har gjort en hel del intressanta iakttagelser. Och det kanske kunde roa er att ta del av dem. Som alla minns skildes vi åt för natten några minuter för elva. Ann bäddade åt mig där borta på soffan mellan fönstren, och när jag sade god natt till henne var klockan närmare halv tolv.

Christer plockade ner blicken från taket och fäste den på Rutger.

— Vid den tidpunkten befann du dig fortfarande utomhus, sade han eftersinnande. Skulle du vilja ha vänligheten att säga mig när du kom in?

Rutger reste sig helt tvärt från bordet och gick fram mot den öppna spisen. Så vände han sig långsamt om. Hans ögon var mörka och plågade.

— Varför frågar du? Du vet mycket väl att jag inte kan komma in i sängkammaren annat än genom det här rummet. Och här satt ju du på vakt.

— Tyvärr lämnade jag min vaktpost, genmälde Christer utan att låtsas om bitterheten i Rutgers sista ord. Och därför håller jag nog fast vid min fråga.

Rutger hade lutat sig mot spiselkransen. Han strök sig trött över pannan.

— Och om jag vägrar att svara?

— Du gör sannerligen ingenting för att hjälpa mig. Christer Wijk var fortfarande mycket lugn. Kanske de andra är mindre förtegna. Hur är det, vill ni redogöra för era göranden och låtanden under den natt, som nyss har gått till ända?

— Jag sov, mumlade Ann, och nu märkte jag att hon var lika vit som klänningen hon hade på sig. Jag tog två tabletter och somnade genast. Jag vaknade faktiskt inte förrän klockan var nio.

— Min rapport är så likalydande att det är onödigt att upprepa den, instämde Viveka. Den enda skillnaden är den att jag tog en tablett i stället för två — jag brukar inte behöva mer — och att jag sov tills jag blev väckt strax efter tio. Och så får jag bekänna att jag med risk för att kvävas stängde fönstret och låste dörren innan jag gick till sängs. Man är ju inte mer än människa.

Lil sneglade på mig, men eftersom jag inte fick någon uppmaning av Christer att tala anade jag att jag borde hålla mig tyst. Christer väntade tålmodigt på Lil. Till sist gjorde hon en luftig rörelse med sin smala hand.

— Åh, Puck och jag sov som snälla flickor. Åtminstone hoppas jag att jag inte gick i sömnen. Som barn älskade jag att vandra runt hustaket. Och naturligtvis vågade ingen väcka mig av rädsla för att jag skulle få en chock och trilla ner.

— "Den damen bedyrar för mycket, synes det mig." Christers tonfall var oroväckande milt. Jag erinrar dig om att lady Macbeth också hade för vana att gå i sömnen. Och de vandringarna avslöjade inga vackra saker.

— Hur vågar du! Nu var det Lils tur att resa sig så häftigt att stolen föll i golvet. Håret gnistrade i rött och ögonen i grönt, och jag tänkte att jag aldrig sett en människa som så tydligt påminde om en grann tiger. Kanske var det därför att ögonen satt så långt ifrån varandra, kanske var det bara uttrycket i dem ...

— Jag vågar det därför att jag vet att du ljuger. Ser du, Lil, ett vittne, som *aldrig* håller sig till sanningen, blir med nödvändighet ganska misstänkt. Har Carl Herman något att säga?

Men Carl Herman skakade olyckligt på huvudet.

— Då skall jag själv be att få berätta ett par tre saker. Sedan jag hade sagt god natt till Ann blev jag sittande utan att klä av mig. Jag tyckte inte om att Rutger var ute och sprang, och jag kände också att jag behövde tänka igenom dagens händelser. Det var nästan alldeles mörkt ute, och det blåste rätt starkt. Jag hade det ena fönstret uppe — det vetter som ni alla ser åt baksidan av huset — och plötsligt hörde jag steg. Jag reste mig och tittade ut. Trots mörkret kunde jag urskilja de tre ingångarna till gästflygeln, och där utanför skymtade en figur. Jag noterade att klockan var tio minuter i tolv, och så tog jag på mig kavajen och gick ut för att se om det var Rutger, som strövade omkring i natten. Det var det emellertid inte.

Christer gjorde en paus som för att öka spänningen fast gudarna må veta att det inte behövdes i det ögonblicket. Lil hade slagit sig ner i en av fåtöljerna bredvid Rutger, och hans tunga gestalt verkade gigantisk vid hennes sida. Alla hängde vid Christers läppar när han meddelade:

— Jag mötte honom på stigen utanför Hammars sovrumsfönster. Det var Jojje. Han var fortfarande klädd i shorts, och när jag förvånat frågade: Vad gör du här? blev han helt oväntat alldeles rosenrasande och sade en del, som jag inte vill citera. Kontentan var i alla fall att jag borde gå och lägga mig och inte "snoka omkring och förstöra alltsammans". Jag vände men beslöt att hålla ett öga på honom. Det var emellertid lättare sagt än gjort i mörkret. Ena sekunden var han där, och nästa såg jag inte hårstrået av honom. Jag förstod att han smitit in i skogen, och nu var det min tur att svära en stund. Jag gick ett varv runt huset, och eftersom jag kände att något obehagligt höll på att hända måste jag erkänna att jag smög mig upp till gästflygeln för att kontrollera att alla låg i sina sängar. Men damerna hade stängt fönstren och dragit ner gardinerna, så det enda jag kunde övertyga mig om var att både Eje och Carl Herman redan tycktes ha somnat. Förmodligen gjorde jag sedan något dumt. Jag var för rastlös för att bara sitta inne och vänta, och därför beslöt jag att ta mig en tur ner till båthamnen.

Det uppstod en ny paus då Christer försökte få eld på sin pipa, och Viveka stack in en stilla reflexion:

— Roligt att få veta att det verkligen existerar modiga människor. Jag trodde annars att de bara förekom i detektivromaner.

— Ja, det var inte för mitt nöjes skull jag promenerade omkring, sade Christer torrt.

— Och vad fann du?

— Ingenting. Eller i varje fall ingen människa, varken död eller levande. Men segelbåten var borta.

— Mitt i natten? utbrast jag misstroget.

— Ja. Och när jag upptäckte det bestämde jag mig också för att andas sjöluft ett tag. Jag rodde ut med ekan och arbetade mig fram till nordsidan av Ön; det var som jag redan har sagt ganska hård vind. Men om segelbåten fanns på Uvlången, vilket jag förmodar att den ändå gjorde, så var den uppslukad av mörkret.

Jag kunde inte för mitt liv återhålla en fråga.

— Rodde du förbi Stupet?

— Ja, men där var lika lugnt och tyst som överallt annars på Ön. Nå, till sist gav jag upp och rodde tillbaka till båtbryggan. Sedan vankade jag mellan stugan och flygeln tills det började ljusna. Emellanåt tyckte jag att det rörde sig inne i skogen, men när jag gjorde en avstickare dit in kunde jag naturligtvis ingenting se. När klockan var halv tre blev jag helt plötsligt och utan någon egentlig anledning förbannad på hela tillställningen, och så tänkte jag att jag kanske skulle ta och titta litet närgångnare på de sovande herrarna och damerna. Jojjes rum var det enklaste, hans fönster stod vidöppna, och det var bara att sticka in huvudet för att övertyga sig om att han inte legat i sin säng. Sedan får jag erkänna att jag missbrukade Anns gästfrihet på det fruktansvärdaste: jag smög mig in i det rum, där hon helt omisstänksamt låg och sov, och fann att också Rutgers säng var orörd.

Ingen i rummet rörde sig. Rutger tycktes ha stelnat i sin obekväma ställning borta vid spisen. På Lils cigarrett växte askan till en lång vit pelare.

— Viveka var den enda som hade låst sin dörr. Men de två andra rummen bjöd på överraskningar. Puck sov så djupt att hon inte alls var medveten om att jag tittade mig rätt grundligt omkring. Och Lils säng var den tredje i ordningen, som inte inbjudit till någon vila.

Lil slog äntligen askan av sin cigarrett och smålog utmanande.

— Och Carl Herman, sade hon ljuvt. Vad hade han för sig?

— I motsats till de övriga hade han verkligen legat en stund. Men nu var både han och Eje utflugna. Tydligen i stor brådska.

— Eje?

Utropet kom samtidigt från Carl Herman och mig.

— Såå, anmärkte Christer i sin släpigaste ton, då gick ni alltså inte ut tillsammans? ... Ja, sedan har jag inte mycket att tillägga. Jag försökte så gott jag kunde finkamma Ön. Vid ett tillfälle skymtade jag något brokigt i närheten av stugan — det kan ha varit George, men jag är naturligtvis inte säker. Jag jagade också efter någon fantom ända upp på Utsiktsberget i norr, men vid femtiden återvände jag hit, och efter en sista inspektion gick jag till sängs. Då hade Carl Herman och Eje kommit tillbaka, fast jag tror knappast att Carl Herman sov. Lils dörr var låst. Men George och Rutger var och förblev borta.

Han spände plötsligt ögonen i Lil och tillade ironiskt:

— Och vad önskar fru Arosander nu använda sig av för historia?

Men Lil hann inte öppna munnen. Carl Herman slog plötsligt handen i bordet så att kaffekopparna skramlade.

— Du behöver inte vara nedrig mot Lil. Den mjuka rösten darrade av vrede. Jag kan berätta hennes historia för dig. Hon knackade på mitt fönster strax före ett och bad mig komma ut.

Hon kunde inte sova och ville ha någon att prata med.

— För tusan, fortsatte han med stigande hetta när han såg Christers min, om du vill ha rent språk, så ska du få det! Vi hade bestämt oss för att umgås litet intimare än vi fått tillfälle till de senaste dygnen. I våra rum kunde vi inte träffas, men det är både mjukt och varmt i skogen. Det var ju beklagligt att du inte hittade oss — det hade ju varit ytterst angenämt för alla parter.

— Så, så, sade Christer lugnande och roat. Vill du utöka din godhet med att tala om när ni — hm — skildes åt för att gå in och sova.

— Jag hade tyvärr ingen klocka på mig.

— Åh, den var visst någonting i närheten av halv fyra. Lil log strålande mot både Carl Herman och Christer. Skönt när folk börjar bli uppriktiga, eller hur? Men jag är rädd att vi utsätter Ann-Sofi för den ena chocken efter den andra?

Ett faktum var att både Ann och Rutger verkade mycket illa berörda av Carl Hermans lilla bekännelse. På Anns vita kinder syntes rodnaden med pinsam tydlighet, och med ens såg Carl Herman höggradigt förvirrad och förlägen ut.

Jag kände mig också ganska förvirrad. Carl Hermans utbrott nyss svor så fullständigt mot hans vanliga blyga och tillbakadragna uppträdande att det efterlämnade en liten bismak i munnen. Jag tvivlade inte på att det var sanningen han hade berättat, men han måste vara mycket angelägen att skydda Lil när han kunde förmå sig till något sådant. Behövde hon skyddas? Och var det verkligen Carl Herman hon var intresserad utav? Hur var det med George? Och Rutger?

På den sista frågan skulle jag få svar förr än jag väntat.

Christer vände sig nämligen nu med stor bestämdhet till Rutger.

— Nu återstår bara du. Vägrar du fortfarande att tala om vad du haft för dig hela natten?

Rutger bröt sin långa tystnad, och på något sätt verkade det som om han fattat ett beslut. Det trötta och plågade uttrycket i hans ansikte hade försvunnit, och han var vaksam och beredd på kamp.

— En sak tycker jag vi har rätt att få veta innan vi går vidare. Varför är det så viktigt att ta reda på vad vi har haft för oss just i natt? Är det någon som har burit tillbaka Mariannes lik under

97

granen? Eller vad är det som har hänt?

Christer såg honom in i ögonen.

— Ett mord till . . . George Malm har blivit skjuten.

Rutger vacklade till som inför ett fysiskt slag. Lil slog händerna för ansiktet, och Viveka flämtade:

— Skjuten?

— Ja. Christer lät mycket allvarlig. Alla vet att du äger en revolver, Rutger. Skulle du vilja visa mig den?

Rutgers steg var tunga, men han gick utan ett ord in i sovrummet. Där vi satt kunde vi se honom dra ut en låda i det lilla bordet invid sängen.

Så stod han åter i dörren.

— Den är borta, sade han alldeles uttryckslöst.

— Jag väntade det. Säg Rutger, vill du nu svara när jag för tredje gången frågar: var har du varit hela natten?

— Ute i segelbåten.

— Ensam?

Men plötsligt stod Lil vid Rutgers sida. De röda lockarna dansade då hon gjorde ett utmanande kast med huvudet.

— *Nej.* Nu kan det tydligen vara på tiden att jag också håller mig till sanningen. Ann-Sofi får förlåta, men här är det viktigare saker än den äktenskapliga lilla lyckan, som står på spel. Carl Hermans redogörelse nyss var mycket ridderlig och mycket riktig. Felet var bara att han utrustade mig med orätt älskare. *Jag har varit tillsammans med Rutger hela natten.*

Carl Herman såg ut som om han tänkte svimma.

Men det var Ann-Sofi, som gjorde det.

Nionde kapitlet

Egentligen är jag minst av allt den typ, som lämpar sig att ta hand om svimningar och olycksfall; jag längtar vid sådana tillfällen alltid intensivt efter att själv bli omhändertagen och känner i likhet med forna tiders romanhjältinnor ett starkt behov av ett uppfriskande luktsalt. Men eftersom ingen kom ilande med något sådant och eftersom Viveka tycktes anse att det var Kvinnorna som borde ingripa, traskade jag snällt med in i sängkammaren, dit Christer hastigt hade burit Ann. Jag behöver väl inte tillägga att Lil visade sig högst osolidarisk mot sitt kön? Hon skänkte inte Ann mer än en flyktig — och en aning triumferande — blick och ägnade därefter sina omsorger åt Rutger, som satt i soffan och såg ut som om han tvivlade på både sitt och andras förstånd. Men Christer stängde obarmhärtigt dörren när han gick ut igen, och jag irriterades genast av att inte längre befinna mig i händelsernas centrum.

Ann var närmast grön i ansiktet och visade inga tecken till att vakna upp ur sin medvetslöshet. Och ändå hade jag hela mitt intresse i rummet intill.

— Är du inte nyfiken? frågade jag Viveka, som plockade bort kuddarna under Anns huvud. På vad som händer där ute?

Hon rätade på den magra gestalten och granskade mig allvarligt.

— Jo, sade hon därpå. Naturligtvis är jag det. Men jag skulle tro att det är bäst för de inblandade att de får klara upp den här smakliga lilla historien på egen hand.

Jag såg hjälplöst på Anns bländvita linneklänning och långa, slanka ben.

— Skulle vi inte ge henne något att dricka?

Det lyste ett leende i Vivekas vänliga blå ögon.

— Du är genomskådad. Men kan du återkomma med a: ett handfat kallt vatten, b: en handduk och c. ett glas konjak, så har du min välsignelse.

Jag gled snabbt ut genom dörren och fortsatte inte fullt så snabbt genom sällskapsrummet. Där var emellertid ingenting spännande på färde. Rutger satt fortfarande i soffan med huvudet mellan händerna, och Lil tände nervöst en ny cigarrett. Christer och Carl Herman samtalade lågmält framme i dörröppningen. Situationen var oförändrad när jag tågade tillbaka med handfatet och handduken. Att samtidigt med detta balansera ett konjaksglas hade visat sig överstiga min förmåga. Nu tittade dock Rutger upp och frågade dystert om det var något han kunde göra. Jag skickade honom efter konjaken, och sedan jag skvalpat ut större delen av vattnet vid mina försök att öppna dörren med ena armbågen uppmanade jag föga vänligt Lil att hjälpa mig. Hon gjorde det med överdriven älskvärdhet, och jag kom in i sovrummet ilsket mumlade mellan tänderna:

— Hon är en katta. Och jag är alldeles övertygad om att det är hon, som har gjort det.

Men Ann jämrade sig svagt, och Viveka var alltför upptagen av att snabbt och behändigt lossa på hennes behå och höfthållare — klänningen hade hon redan fått av henne — för att lyssna på mig. Jag kände mig tafatt och överflödig och funderade på att försöka avlägsna mig, men innan jag hunnit övergå från tanke till handling inträffade det någonting. Kanske var det bara en liten episod utan betydelse, men den förbluffade mig på sätt och vis mer än alla morgonens övriga rafflande upplevelser.

Viveka lyfte blicken från det hon hade för händer och såg mot dörren. Och plötsligt rodnade hon djupt och obehärskat; ända ner på halsen spred sig rodnaden i långa utlöpare uppifrån ansiktet. Min association var förmodligen alldeles felaktig, men hon påminde om en skolflicka, som överraskas i sina drömmar av ingen mindre än föremålet för sin kärlek. Hennes hand darrade när hon lade den på Anns panna.

Jag vände mig om alltför sent för att upptäcka vad det var hos Rutger, som framkallat den häftiga reaktionen. Jag förstod att deras blickar hade mötts just då han kom i dörröppningen, men nu var hans ansikte nästan onaturligt uttryckslöst. Han räckte Viveka konjaken och vände därefter helt bryskt om på klacken och gick. Sin avsvimmade hustru hade han tydligen inte mycket intresse till övers för.

— Be ... behöver du mig? stammade jag olycklig och förlägen.

Vivekas blotta min sade mig att hon intet hellre såg än att jag försvann.

Jag stannade i det tomma sällskapsrummet och försökte samla mina tankar. Var det möjligt att det jag trott mig uppsnappa där inne var riktigt? Gick till och med den fula, humoristiska och välbalanserade Viveka omkring och bar på en olycklig kärlek till Rutger? Vad i all världen var det hos den karlen, som kom *alla* kvinnor i hans omgivning att dras till honom? Det hade räckt så bra med Marianne och Ann — och Lil. En till var absolut minst två för mycket. Men kanske tog jag fel. Min fantasi har alltid varit livlig i den romantiska genren, och allt sysslande med männen kring Fredrika hade måhända slagit sig på hjärnan på mig. Pappa påstår också alltid att man inte skall intressera sig för sina medmänniskors erotiska mellanhavanden, och naturligtvis har han fullkomligt rätt, men när jag nu hade blivit inblandad i två mord, till vilka den enda tänkbara förklaringen låg på känslornas område, så var väl ändå ett sådant intresse rätt legitimt?

Jag gick ut på gräsmattan, och fast jag försökte behärska mig var mina blickar efter en halv minut fastklistrade vid Rutger, som helt lugnt stod och pratade med Christer och Carl Herman. Ja, visst var han ganska stilig med sitt kraftigt tillyxade ansikte och sin imponerande gestalt. Jag lade för första gången märke till hans mun. Den var, också den, kraftig och mycket välformad, och medan nästan allt annat hos honom talade om en viss tröghet och känslolojhet tydde den på både sinnlighet och häftighet. Så litet jag egentligen visste om honom, min trygge och underhållande kamrat från Landings och Carolina! Så litet jag visste om dem alla!

Scenen framför mig var overkligt normal och söndagsfridfull. Två eleganta herrar, en ljusgrå och en helvit, konverserade en tredje något mindre elegant i rutiga byxor, och i en bekväm trädgårdsstol låg en rödhårig skönhet av överklasstyp behagfullt tillbakalutad. Själv kände jag mig varken elegant eller behagfull, och jag gick suckande för att försöka piffa upp mitt slarviga utseende. Min säng stod obäddad, som då jag lämnade den, men Lils var prydligt bäddad. Det var så sant, hon hade ju redan försvunnit när Pyttan väckte mig vid niotiden i morse. Och ändå påstod hon att hon varit uppe mest hela natten. Hade hon kanske inte legat alls? Men vad betydde då den låsta dörren vid Christers sista inspektion klockan fem? Jag klädde mig grubblande i min enda medhavda fina klänning. Den var djärvt och brett röd- och vitrandig, och jag hade varit stormförtjust i den när jag lät sy den för några veckor sedan. Nu tänkte jag bittert att det hade varit lämpligare om den varit svart och vit. På den lilla byrån låg mitt guldarmband. Det *var* verkligen vackert, nästan en decimeter brett och med kuriösa djurfigurer i en aldrig upphörande ringdans. När allt kom omkring hade det säkert varit med om mord och död många gånger förr. Varför skulle då jag låta en död kvinna hindra mig att bära det?

Framme vid stugan formligen myllrade det av folk. Pyttan kilade glatt omkring i bara baddräkten och försäkrade Einar att hon skulle fixa lunch åt dem båda. Christer samtalade ytterst livligt med en korpulent man i femtioårsåldern, och en bit ifrån dem stod, bredbent och plirande, fjärdingsman Olsson. Eftersom jag inte kunde glömma att han kallat mig ett hysteriskt fruntimmer och eftersom jag sanningen att säga numera kände mig halvt hysterisk spatserade jag fram till honom och sade i mitt änglamildaste tonfall:

— Så roligt att se fjärdingsman här! Vi skaffade fram ett litet lik till slut i alla fall.

De stickande små ögonen såg på mig, men det var faktiskt inte någon personlig ovilja i blicken. Så muttrade han:

— Ja, ja. Det var väl vad en kunde vänta.

— Vänta? Hur så? Vad menar fjärdingsman?

Han skakade missmodigt på huvudet.

— Jag ska säga henne att vi har inte haft något mord här i Forshyttan på nitti år. Och då var det en tattare, som slog ihjäl sin käring och stoppade henne i ett gruvhål. Folket här uppe är rejält och gudfruktigt och har respekt för andras liv och egendom. Men när det kommer dragandes en massa stockholmare, den ena konstifikare än den andra, då ska en inte förundra sig över att det blir elände och illgärningar.

Det värsta var att jag måste ge honom rätt. Vi passade inte in i miljön, och det var fullt begripligt om urinvånarna betraktade oss med misstro. Jag ångrade redan min attityd nyss men visste inte vad jag skulle säga för att släta över det hela. Jag räddades av Christer, som kom fram med den korpulente. Denne visade sig vara överkonstapel Berggren från Skoga. Om han hade hetat Berglund hade man ofelbart frågat efter hans eventuella släktskap med Bullen. Det var inte bara en rent yttre likhet; man anade redan vid första påseendet att man här hade att göra med en mycket jovialisk och trivsam överkonstapel.

Det framgick att Berggren haft med sig en yngre polisman från staden, och att denne för tillfället avdelats att bevaka Georges kvarlevor. Någon läkare hade ännu inte anlänt; man var i Forshyttan hänvisad till provinsialläkaren i Skoga, som var en jäktad man och inte kunde väntas inträffa vid Uvfallet förrän framåt kvällen. I stället för att hämta doktorn ut till Ön tänkte man emellertid föra liket över till fastlandet. Jag kände mig dumt och obegripligt lättad när jag fick höra det. Kanske skulle det otäcka som hänt förefalla en smula mindre otäckt om George bara kom på litet större avstånd ifrån oss. Egentligen, fortsatte jag min vaga tankegång, var det ganska skönt att någon hade trollat bort Mariannes lik ...

Antingen var det överkonstapel Berggren eller jag, som var mottaglig för den andres tankar. Helt oförmedlat sade han nämligen:

— Vi måste försöka få tag i det andra liket också, det som den här lilla fröken såg under granen. För nu har vi väl ingen anledning längre att *inte* tro på den historien.

Han vände sig till fjärdingsmannen.

— Hör på, Olsson, du får försöka skaffa hit några karlar, som kan kamma genom skogen här på Ön och sedan hjälpa oss att dragga.

Guss Olsson blinkade bekymrat.

— Det blir ingen lätt sak, det inte. Sjön är djup; på ett par ställen är hon rentav bottenlös.

Berggrens runda ansikte uttryckte så mycket förtret det var mäktigt.

— Du tror väl inte på de där dumheterna? Och sjön får vara hur djup den vill — här ska draggas och det ordentligt ändå. I dag när det är söndag bör det ju gå att få tag på folk. Ni har väl en dragg någonstans i byn?

Den lille fjärdingsmannen såg ännu mer bekymrad ut.

— Det skulle jag inte tro. Aldrig har jag hört talas om någon.

103

— Men för tusan, människa, vad gör ni om någon drunknar i sjön?

— Här är det ingen som drunknar. Vi har nyttigare saker för oss än att hänga på sjön.

Där fick vi. Om tokiga stockholmare frivilligt valde att drunkna eller dränkas i Uvlången, så kunde de ligga där, inte tänkte Forshyttan och fjärdingsman Olsson anskaffa dyra draggar för den skull.

Christer lade leende sin hand på överkonstapelns breda axel.

— Du får nog hämta redskap ırån Skoga och uppskjuta draggningen till i morgon, käre Leo. Men om Olsson kan skaffa hit några karlar, som kan leta igenom skogen redan idag, skulle det ju vara bra.

— Jag ger mig i väg så snart någon vill skjutsa mig över, sade Guss Olsson buttert.

— Det gör Einar när han har slutat äta. Vill du säga till honom, Puck?

Jag gick mot köket och hörde bakom mig Berggrens myndiga stämma:

— Då tror jag att jag far in med liket på samma gång. Om du ville följa med neråt stranden, Christer, så kunde vi få talas vid ...

Einar och Pyttan hade redan hunnit till kaffet. Einar log rart mot mig, och jag påminde mig plötsligt något.

— Vad gjorde du ute i natt? frågade jag inkvisitoriskt.

— Är det polisförhör? Eller är du rädd att jag var ute och svärmade med Lil?

— Nej, det vill jag verkligen hoppas att du inte var, utbrast jag med sådant eftertryck att de bägge stirrade häpet på mig.

— Förresten, tillade jag litet lugnare, kan hon inte gärna ha haft tid med dig också.

— Vad är det för rafflande historier du har fått reda på? sade Pyttan med glänsande ögon och munnen full av smörgås. Det är banne mej din skyldighet att berätta allt för oss, som har slavat med allt möjligt tråkigt arbete medan du bara har hängt Christer i hälarna och fått *veta* saker. Vad har Lil gjort och med vem?

— Älskat, svarade jag lakoniskt. Med ... nej förresten, det gör detsamma. Jag vill veta vad Einar hade för sig klockan halv tre i natt.

— Äh, började Pyttan, men Eje hade tydligen uppfattat att Lils eskapader inte var något lämpligt samtalsämne, och han föll henne lugnt i talet.

— Jag vaknade strax före halv två och upptäckte att Carl Herman inte längre låg i sin säng. Eftersom nyfikenhet vid det här laget har blivit en dygd kastade jag på mig litet kläder och smög ut i natten. Det var mörkt och det blåste starkt från norr. Jag gled ljudlöst fram och kände mig som hjälten i en av mina egna romaner ...

— Tala i singularis, förmanade Pyttan. Du har bara skrivit en.

— Ska det fortsätta så här, har jag snart nästa bok till skänks. Nå, framme vid stugknuten gled jag rakt i armarna på någon annan, som också var ute och gled ljudlöst i natten. Jag svor och han svor, och då såg jag att det var Jojje.

— Hur mycket var ...

— Klockan var troligen halv två eller några minuter över.

— Pratade du med honom?

— Han muttrade något om att det var ett fördömt rännande, och när jag frågade vad han pysslade med mitt i natten sa han bara: "Väntar." — "På vad?" — "Det vet jag inte riktigt själv." Sedan bad han att få en tändsticksask, och när han fått den och talat om att han sett Carl Herman gå in i skogen vid ett-tiden gick han sin väg. Jag strövade litet på måfå i skogen och knäckte kvistar och ställde till oväsen så jag kunde ha skrämt alla mördare på en mils avstånd. Klockan tre gick jag tillbaka in och lade mig, och halv fyra kom Carl Herman. Men då låtsades jag att jag sov.

— Han levde alltså klockan halv två, upprepade jag tankfullt. Och vad tror ni han väntade på? Att Rutger skulle komma hem eller att någon annan skulle gå ut?

— Rutger ...?

— Ja, Pyttan, sade jag hastigt. Han var ute hela natten i segelbåten ... Det enda vi har fått veta är egentligen att Jojje *inte* väntade varken på Eje eller Carl Herman. Men det begrep vi ju nästan förut.

— Är det inte konstigt, tillade jag efter en paus, att ingen hörde skottet? Om han blev skjuten på Stupet ... Hur långt är det till Stupet härifrån?

— På sin höjd tre kilometer.

— Ja. Borde inte ett skott i sommarnatten ha hörts så väl att det till och med hade kunnat väcka dem som sov? För övrigt verkar det som om det var ganska många, som var vakna.

Einar nickade.

— Jag har tänkt på samma sak. Men du glömmer att det blåste. Nordan eller kanske snarare nordväst. Bort från Stupet alltså.

Han var färdig med kaffet och plockade fram pipan. Jag suckade och meddelade honom att han inte hann röka den alldenstund han skulle leda en liktransport.

Han reste sig motvilligt. I dörren vände han sig om.

— Söt klänning du har, sa jag det?

Så var han försvunnen.

Pyttan tycktes ha upphört att grubbla över Rutgers förehavanden. Hon skrattade.

— Han är allt ruskigt kär! Och tänk, vi som alltid har trott att Eje skulle sluta som gammal ungkarl. Han är så nedrigt kritisk när det gäller flickor. Men du är också alla tiders. Jag förstår bara inte att du inte redan är förlovad... Oh, det var så sant! Jag har ju post till dig från Uppsala. Jag hämtade den när jag ändå var över.

Hon öppnade en postväska, som låg slängd på bänken vid dörren, och tog fram ett par tidningar och några brev.

— Här är ett till Jojje, sade hon långsamt. Vad ska vi göra med det?

— Ge det till Christer. Han kanske vill läsa det.

Hon räckte mig ett smalt kuvert med min älskade faders lustiga, oläsliga handstil. Jag har alltid varit övertygad om att det egentligen är någon sorts modifierad hieroglyfskrift han använder. Mångårig träning har emellertid lärt mig att på rent vetenskaplig väg tolka den.

Jag gick ut för att uppsöka en lugn vrå. På vägen passerade jag Rutger, som gav till ett lätt utrop.

— Men Puck, har du fått tillbaka ditt armband? Jag trodde... jag trodde att Marianne hade slarvat bort det för dig.

Han var irriterande mycket längre än jag, men jag lyckades ändå se honom in i ögonen. Färgen steg långsamt i det bleka ansiktet.

Det trodde du alls inte, det visste du, tänkte jag. Högt sade jag:

— Nej, det går igen, som du ser.

Han lyfte handen som för att slå mig men ryckte plötsligt på axlarna och lämnade mig utan ett ord. Pyttan kom ut från köket med sina brev och tidningar.

— Var är Carl Herman? Här är ett brev till honom från hans förläggare. *Tror* du att han håller på att ge ut någon ny diktsamling?

— Du får väl fråga honom, sade jag frånvarande.

Jag gick ner mot stranden bakom uthuslängan och satte mig grubblande under en krokig och trivsam liten tall.

Det hela var mycket egendomligt. Om Rutger inte var skyldig till två bestialiska mord — vilket jag inte ett ögonblick ville tro — så visste han ändå betydligt mer än han ville ut med. Någonstans i närheten av Rutger låg problemens lösning, det var jag säker på. Varför teg han så envist?

Med en suck bröt jag pappsens brev och stavade mig mödosamt genom det. Han berättade om blommorna hemma i trädgården och om en egyptisk inskrift, som äntligen börjat klarna. Det var svalt och tyst på Carolina, och det var underligt tyst också hemma i villan. Han väntade nog på brev, men han förstod ju att jag hade alltför roligt för att hinna skriva. "Sköt om dig och njut av sommaren, Puck, det är din årstid!"

Plötsligt grät jag vilt och ohämmat, grät över Marianne och över George och över oss alla på Lillborgen. Tårarna droppade ner på min fina klänning, och den blev konstigt prickig mitt i randningen.

Jag hörde inte när Carl Herman kom. Men hans mjuka röst var oändligt deltagande, och det var underbart att luta huvudet mot hans axel och gråta färdigt på hans eleganta sidenskjorta. Så fick jag låna en näsduk, vilket väl behövdes, och mina snyftningar bedarrade långsamt. Mitt i sorgen visste jag att det var tusentals kvinnor i Sverige — utom Pyttan — som skulle vilja ge år av sitt liv för att få byta med mig dessa minuter, och naturligtvis gjorde den tanken att jag trivdes ännu bättre i hans famn. Till slut gjorde jag mig emellertid fri, snöt mig grundligt och mumlade: Tack!

Och i det ögonblicket tog Carl Herman min arm och sade:

— Det var då för väl att du har fått igen ditt armband. Jag

var rädd för att det hade försvunnit för andra gången.

Nu lät jag fullständigt desperat:

— Tala om för mig vad du har med det här olycksaliga armbandet att göra, annars blir jag galen.

— Åh, det är verkligen ingenting mystiskt. Jag hittade det helt enkelt mitt inne i skogen i fredags, ja, det var någon gång under de där mångomtalade timmarna mellan ett och fem. Solen sken rakt på det, och jag undrade vad det var som glittrade så starkt i mossan. Jag stoppade det i fickan och bar hem det. Jag trodde att jag hade lagt det på byrån, men dagen därpå var det försvunnet, och då tyckte jag inte det var någon idé att säga någonting alls till dig.

— Då hade hon alltså tappat det redan på natten före mordet... Men hon hade det ju på sig klockan elva, påstod George. Var hittade du det?

— Det var inne i skogen någonstans på norra sidan av ön. Det var naturligtvis en kolossal slump att jag kom att gå just där; det är verkligen en del av ön, där man mycket sällan sätter sin fot.

— Var det när du var ute tillsammans med Lil?

Han teg en sekund.

— Ja.

Jag hade till hälften vänt honom ryggen. Min rödgråtna näsa var ingen lämplig syn för landets störste kärlekslyriker. Men nu glömde jag både mitt utseende och hans berömmelse.

Carl Hermans känsliga mun darrade under mina blickar. Därefter slog han ner ögonen.

— Jag grät nyss i dina armar, sade jag sakta. Vill du, så kan vi byta roller ett tag.

— Jag är rädd att det inte hjälper att gråta, Puck.

Och nu gjorde jag vad jag drömt om att göra en kväll för länge sedan. Jag strök Carl Herman Lindensiöö över kinden och viskade:

— Hon är inte värd det!

Han höll fast min hand och kysste den lätt.

— Tror du inte jag vet det! Tror du inte jag har vetat det länge. Och ändå är jag lika kär i henne som... som Rutger var i Marianne.

— Och hon?

— Hon, upprepade han bittert, hon vet att hon har mig på

108

kroken, och då är jag inte rolig längre. Nu är det Rutger hon vill åt.

— Vill du inte tala om alltsammans för mig, bad jag. Hela din roll i det underliga spel, som bedrivs här. På mig verkar det som någon sorts Midsommarnattsdröm, där var och en är kär i fel person.

— Ja. Han smålog svagt. Här finns ju till och med en Puck.

— En Puck, som ingenting begriper av det som försiggår på scenen. Det skulle vara skönt om någon enda äntligen ville tala — och tala sanning.

Han tvekade fortfarande. Jag lade vädjande min hand på hans arm.

— Carl Herman. *Om* det är Lil, som har mördat två av sina vänner, vill du verkligen skydda henne då? Tänk på att om ingen hjälper Christer och polisen kan det bli fler mord ... Och om hon inte är skyldig kan du väl inte skada henne genom att tala?

Äntligen läste jag i hans ögon, på hans läppar, i varje linje av hans rörliga och känsliga ansikte att han tänkte ge vika.

— Som du vill, Puck. Jag måste förresten försöka komma ur den här lögnhärvan innan den blir alltför tilltrasslad för mig. Jag är inte särskilt skicklig i att ljuga.

— Nej, sade jag ömt, och jag kände mig som en åldrig och vis mor, som talar förtroligt med sin halvvuxne son. Det har vi nog märkt, må du tro.

Han körde båda händerna genom det lockiga håret.

— Vad är det du vill veta?

— Allt. Dina relationer till alla här närvarande. Varje steg du har tagit här på ön sedan Marianne anlänt hit.

— Sanningen, hela sanningen och ingenting annat än sanningen, citerade han tankfullt. Nåväl, du ska få den.

Han tycktes leta i sitt minne och funderade på var han skulle börja.

— Jag träffade Eje och Rutger första gången för tio år sedan. De var nya på högskolan då och hade helt optimistiskt tagit litteraturhistoria som sitt första ämne. Jag hade just avverkat franskan ... Ja, jag är faktiskt äldre än de, tillade han med ett leende när han såg min förvånade min ... Vi blev kamrater på examinatorierna, och sedan höll vi ihop genom åren. Vi läste ju olika ämnen till en tid: jag höll mig till språken, Rutger tog konsthistoria, och Einar tråkade sig plikttroget genom både historia och nordiska språk, en prestation som vi andra uppriktigt beundrade. Nå, till sist blev Rutger och jag förenade igen på de litteraturhistoriska licentiatseminarierna. Där träffade vi Viveka. Hon påstod att hon ägnade sig åt vetenskapen bara för att kunna ge pappaprosten ett motiv till att hon stannade kvar i Stockholm. Men det är rasande skarp hjärna på henne, och om hon inte vore så lättjefull kunde det bli en verkligt fin avhandling. Det var mitt under kriget vi började våra lic-studier, och de förrycktes naturligtvis en del av alla inkallelser, men det gick bättre än man skulle kunnat tro, man var så lässugen när man kom tillbaka till Stockholm att man jobbade dubbelt på något sätt. Jag låg i Norrland vintern 40—41, och när jag kom ner igen hade Rutger hittat Marianne.

Han gjorde ett uppehåll och såg frånvarande ut över det blanka vattnet.

— Vet du, det var faktiskt en mycket ovanlig kvinna. Hon var verkligt konstnärligt begåvad — hon har bland annat gjort en porträttbyst av Rutger, som jag tycker är fullkomligt genial, men hon vägrade alltid att ställa ut den — och säkert var hon lika het inuti som hon var sval utanpå. Jag tvivlade aldrig på att Rutger var rasande avundsvärd; hon måste helt enkelt ha varit fantastisk som kärlekspartner. Jag tyckte förresten alltid bättre om henne än till exempel Einar, och jag blev till slut riktigt god vän med henne. Men jag kan inte säga att jag någonsin lärde känna henne ordentligt. Hon hade något undanvikande i hela sitt väsen; hon var som en vacker fågel, som inte låter sig fångas... Ja, och så tog det slut mellan Rutger och henne förra våren.

— Eje har berättat det. Vet *du* något om anledningen?

— Absolut ingenting. Det hela var — och är fortfarande — ett enda stort mysterium. Jag kan bara säga att jag tror att det var något på tok mellan dem hela vintern. De var irriterade och på dåligt humör mest för jämnan, och jag misstänkte nog lite då och då att det var någon av dem, som höll på att göra sig fri. Men jag hade alldeles nog med mina egna problem: jag författade slutet på min avhandling, samtidigt som jag läste korrektur på början, och jag var dessutom vilt och vansinnigt förälskad.

De mörkbruna lockarna fick sig en ny duvning, och han såg plötsligt bedjande på mig.

— Hjälp mig nu, Puck, att hålla mig till sanningen, för... annars kanske jag frestas att blunda för den ibland. Ser du, Lil Arosander hade gjort sin entré i vårt gäng redan på hösten 45. Jag hade nog sett henne många gånger tidigare och beundrat henne på avstånd, men det var först sedan hennes romantiska vildmarksäktenskap gått i stöpet, som jag blev bekant med henne. Det var för övrigt Marianne, som hade hittat henne på någon sorts konstnärsskiva och som föreställde oss för varandra. Jag tappade naturligtvis huvudet med detsamma; först nu börjar jag begripa att Lil rätt medvetet gick in för att jag skulle göra det. Och jag är ledsen om jag låter elak, men jag förmodar att mina vackra ögon spelade mindre roll därvidlag än recensionerna av min sista diktsamling. Men sådana saker bekymrade mig inte då, Lil var stolt över sin erövring, hon ägnade sig enbart åt mig, och vi hade en underbar tid tillsammans. Att erövringen hade gått för lätt för att tillfredsställa henne i längden begrep jag inte, och inte heller förstod jag att det är farligt att syssla större delen av dygnet med en doktorsavhandling när man vill hålla fast en sådan kvinna som Lil. Det var över huvud taget mycket som jag inte begrep den där våren, men som har klarnat för mig senare, under förra läsåret och så definitivt de här sista dagarna. Ser du, jag tror att Lil blev förälskad i Rutger redan då, men eftersom hon inte såg ut att ha några chanser så länge han var hopkopplad med Marianne nöjde hon sig väl tills vidare med mig. Jag vet i alla fall att Lil och Rutger var rätt mycket tillsammans; Marianne var nästan lika överhopad av arbete som jag, och så blev det så.

Det verkade som om det vore nyttigt för Carl Herman att på detta sätt tvingas att se fakta i ögonen. Hans röst blev allt lugnare och lidelsefriare ju längre berättelsen framskred, och jag lyssnade för min del med ständigt stegrat intresse.

— En dag i mitten av maj förra året ringde Viveka till mig. "Det är slut mellan Marianne och Rutger", sade hon tvärt. "Båda två uppför sig som om de vore komplett galna, och det går inte att tala med någon av dem. Försök om du kan få någon rätsida på Rutger, så ska jag ta hand om Marianne." Jag rusade direkt hem till Rutger, och för första gången under vår bekantskap hittade jag honom plakat full. Det enda jag kunde göra var att få honom i säng och sitta där tills jag såg att han somnat. Ett par dagar efteråt var det han, som kom upp till mig för att be om ursäkt. "Marianne och jag har haft en scen", tillade han, "och den var så till den grad obehaglig att jag tänker ägna resten av mitt liv åt att försöka glömma den." Samma dag for han hem till Forshyttan. Viveka ringde och förklarade att hon inte vågade släppa Marianne ensam, varför hon tänkte följa henne till Paris. Och så var gänget splittrat som genom en atomexplosion, och kvar till min doktorsmiddag var bara en blek och medtagen Lil, och så Eje, som snällt kom uppresande från Västerås.

— Säg, insköt jag, vad *tror* du att det var som inträffade? Upptäckte Rutger att Marianne hade varit honom otrogen — eller var det tvärtom?

— Det är en fråga, som jag har funderat på så att jag hållit på att bli rubbad. Einar anser ju att hela skulden ligger hos Marianne, men jag är inte så alldeles säker på den saken.

Jag iakttog de bekymrade vecken i hans panna och hans olyckliga blå ögon.

— Hela sanningen var det, Carl Herman! Du tror bestämt att Lil hade någonting med det hela att göra.

— Tror är för mycket sagt. Men det skulle inte förvåna mig om det vore så. Hon var som förbytt sedan Rutger hade rest, och när vi läste i tidningen att det lyste för honom och Ann-Sofi trodde jag att hon skulle få ett hysteriskt sammanbrott. Men så fördubblade hon sin kärlek till mig, och jag glömde bort alltsammans. Under det sista året har hon varit ganska ryckig och konstig i Rutgers närvaro. Vanligen har hon behandlat honom som luft, men ibland har hon i gengäld flirtat grovt med honom. Och Rutger vet man ju aldrig riktigt, var man har . . .

— Marianne då? Försvann hon alldeles från er horisont?

— Hon stannade i Paris. Hon måste ha kommit hem rätt nyligen. Ingen av oss hade sett henne förrän hon dök upp här på gräsplanen . . . Viveka återvände till Stockholm i höstas. Men vi tappade så smått kontakten med henne också.

— Bara en fråga till innan du talar om vad som har hänt de här dagarna. Hur reagerade Ann? För Lils flirt med hennes make och hela Stockholmsatmosfären?

Carl Herman stirrade dumt på mig.

— Ann? Men hon var ju aldrig med i Stockholm.

— ? ? ?

— Ja, jag kan försäkra att vi kände oss likadana. Han gifte sig faktiskt med henne i juli, och i september lämnade han henne på Borg med den motiveringen att han inte ville bli störd när han avslutade sin avhandling. Ingen mer än Eje hade sett henne före disputationen.

— Jag har aldrig hört på maken! Och det fann hon sig i?

— Mm. Tydligen. Jag borde väl i rättvisans namn tillägga att han utförde ett förbluffande styvt arbete. Det var inte mycket gjort åt hans avhandling förut, men det här sista året har det gått undan med svindlande fart. Och den är verkligt fin. Om du håller tyst kan jag tala om att han kommer att få en docentur på den.

Aldrig har utsikten till en docentur förefallit mig likgiltigare.

— Först ska han eller någon annan av oss dömas för mord, sade jag bryskt, och Carl Herman såg på nytt ut som en liten skolpojke, som helst skulle vilja gömma sig i mammas knä. Berätta nu resten!

Vad vet du om Jojje?

— Hade aldrig sett karlen förrän på Forshyttans station i onsdags. Jag blev visst ganska sur, och jag antar att det märktes också. Men jag hade glatt mig så åt att få ha Lil för mig själv under den här lilla semestern; — Einar skulle hon aldrig våga sig på, och från Rutgers sida trodde jag inte det var något att frukta när han hade sin unga söta fru i närheten. Och så kommer hon dragande med den där filmhjälten och inleder dessutom en våldsam flirt med Rutger redan första kvällen. Undrar du då på ...

Jag skyndade mig att bedyra att jag inte alls undrade.

— På torsdagsmorgonen beslöt jag mig för att försöka vara glad och trevlig hur Lil än uppförde sig. Mariannes och Vivekas absolut oväntade ankomst gjorde det liksom lättare för mig att glömma mina egna problem. Men så försvann du och Einar, och bara några minuter senare avlägsnade sig Lil och Rutger utan att säga ett ord. Då stod jag inte ut att konversera de övriga utan gick in och lade mig i dystra betraktelser på min säng.

Torsdag eftermiddag. Det var då Einar och jag varit ute och badat, det var då jag vid hemkomsten hört några mystiska och upprörda ord genom min vägg. Hade det varit Lils röst? Lil och Rutger? Jag mindes middagen efteråt då Lil knappt yttrade en

113

mening. Och Marianne...

— Säg, Carl Herman, under middagen den dagen såg Marianne ut som om hon ville hypnotisera dig. Vad ville hon då?

— Stämma träff med mig. Ja, det är säkert, se inte så misstrogen ut för det. Vi träffades också när hon gjort sig av med Jojje vid elvatiden på kvällen.

— Säg inte att hon hade kommit hit ända från Paris för att få ett litet möte med dig!

— Nej, för sjutton. Men den hon ville träffa vägrade tydligen i vändningen. Och då ville hon i alla fall tala med någon som kunde berätta litet för henne om Rutger, hur han hade det med Ann och hur han hade det med Lil och...

— Då var hon alltså fortfarande kär i Rutger?

— Värre än någonsin. *Och hon var fast besluten att hon skulle ha honom tillbaka!* Hon var obalanserad och ytterst upprörd, och vi vandrade fram och åter på båtvägen i drygt en timmes tid men jag blev alltmer orolig för hur det hela skulle avlöpa. Ann tycktes hon bara betrakta med förakt, men Lil kallade hon både apa och katta och andra älskliga små namn. "Om hon ställer sig i vägen för mig dödar jag henne. Du kan hälsa henne det: jag dödar henne." Hon verkade uppskärrad på ett vis, som jag inte hade någon hand med, och när vi skildes var jag ordentligt uppskakad. Du kanske förstår min lättnad när hon vid frukosten dagen därpå förkunnade att hon tänkte ge sig i väg omedelbart. Ja, jag krossade visst ett glas i rena förtjusningen och häpenheten.

— Åh, var det så *det* hängde ihop... Och hur var det sedan med din och Lils fyratimmarspromenad under mordtimmarna?

Han skakade skamset på huvudet.

— Ni måste ju ha begripit redan från början att vi ljög. Einar hade så rätt. När han kom hem klockan fem låg jag på min säng, och *jag* hade inte sett Lil sedan klockan två ungefär. Då stötte jag nämligen av en slump ihop med henne i skogen bakom gästflygeln, och det blev en liten nätt scen, som huvudsakligen handlade om Rutger och som slutade med att jag nästan slog henne. Sedan stängde jag in mig och tjurade. Men på kvällen var hon rysligt söt igen.

— Varför höll du med henne när hon dukade upp sin historia?

— Jag vet det inte själv. Först och främst blev jag väl över-

114

rumplad. Men om jag tänkte något . . .

— så trodde du att hon var i starkt behov av ett alibi och var ridderlig nog att ge henne ett. Hm. Och på natten när liket blev flyttat?

— Då sov jag som en stock. Jag visste ju ännu inte om något annat än att Marianne hade rest och att den fara jag hade trott mig skymta var över. Chocken blev desto kraftigare när jag fick veta vad som hade hänt i går eftermiddag.

— Förlåt mig, Carl Herman, men redan vid middagen i går verkade du som om du hade kommit över den chocken. Det var inte *bara* Pyttans allmänna vimsighet, som hade smittat . . .

Han rodnade under min obarmhärtiga blick.

— Du ser och hör då också allt. Och du släpper mig inte förrän jag har blottat hela min uselhet, märker jag. Barn lilla, jag var så kär och så svag att inte ens ett mord kunde dämpa min glädje över att Lil blivit som en omvänd hand. Hon var öm och rar, och hon hade inte ögon för någon annan än mig . . . Och i natt knackade hon på mitt fönster, och även om det var en mörderska jag låg med var jag lycklig just då. Fast i dag börjar allting se en smula annorlunda ut . . .

— Då var det alltså sant, det du sade till Christer . . . om i natt?

— Vartenda ord. Vi var tillsammans från strax före ett till halv fyra. Om hon sedan tillbragte resten av natten i Rutgers segelbåt vet jag inte. Alldeles otroligt är det väl inte.

Han lät emellertid inte längre bitter. Vi såg prövande på varandra.

— Puck, tror du att det är Lil, som har gjort det?

— Hon *kan* ha gjort det, eller hur? Både dödat Marianne och Jojje och flyttat på liket och . . . Jag skakade otåligt på huvudet. *Om* hon är oskyldig, varför ljuger hon då så förtvivlat?

— Det verkar som om hon försökte skydda Rutger.

— Det värsta är att jag tror att han också går omkring och skyddar någon. Om han inte själv är den skyldige.

Jag försjönk i grubblerier. Några partier av tavlan började äntligen framträda. Carl Hermans gestalt avtecknade sig i ett av hörnen, och kring honom låg det inte längre några skuggor. Marianne och George fanns där också, men endast som stumma anklagelser mot någon annan. Det var emellertid inte så många

115

som återstod ...

Carl Herman reste sig långsamt.

— Kanske skyddar de varandra. Det är väl inte otänkbart? Att det är fråga om ett samarbete, menar jag. Ett samarbete mellan två ...

Tionde kapitlet

Carl Herman tyckte inte om mitt förslag att han skulle gå direkt till Christer och upprepa allt vad han sagt till mig, det såg jag på honom, och naturligtvis smickrade det mig en aning att han funnit det lättare att anförtro sig åt mig, men jag var envis, och när vi sedan nästan snubblade över Christer utanför gästflygeln var han fast. Jag smet diskret; det kan aldrig vara roligt att berätta en sak två gånger för samma auditorium.

Pyttan låg på gräsmattan, fortfarande i baddräkt, och undrade varför inga människor badade när det var 38 grader varmt på land och ungefär lika många i vattnet. Jag satte mig bredvid henne och meddelade att jag hade tappat lusten för Uvlången sedan man hade börjat använda den som likgömma.

— Asch, vilket sjåp! sade den hårdhjärtade tonåringen av i dag, Jojje är uppfiskad för länge sedan, och Marianne kan lika gärna ligga i vår egen källare. Är det någon som har sett efter där förresten?

— Är det någon som har sett efter hur det är med Ann? Det tycker jag vore viktigare.

— Hon har kvicknat till och bett om ursäkt för att hon damp och utlovat att hon ska kliva upp till middagen. Hon ska till och med laga den påstår hon, så hon är nog O. K. Men du, Puck . . .

— Ja, vad är det?

— Rutger har inte så mycket som frågat hur hon mår. Det är en hund begraven här även om det inte är en sådan kennel som ni andra tycks tro . . .

— Pyttan, vem tror du egentligen Rutger är kär i? Ann eller Marianne? Eller någon annan?

— Keine Ahnung. Han bär inte sitt hjärta på läpparna så som vissa andra i familjen har för vana. Knappast Ann i alla fall. Men hon är förstås ruskigt nere i honom, stackarn. Tycker du jag ska gå och sätta på mig en klänning?

— Åtminstone ett par shorts. Vad nu då! Ligger du på postväskan?

— Ja, jag har ju inte fått tag på Carl Herman fast jag har letat runt halva ön. Jag förstår inte vad han har för sig ...

Men Carl Herman kom så småningom till rätta, och han fick sitt brev men däremot inte något tillfälle att läsa det ostört, det sörjde Pyttan för. Hon hann emellertid också slänga över Jojjes brev till Christer. Det var stämplat Rom och eftersänt till "Herr George Malm" från Stockholm. Christer bröt det och ögnade snabbt igenom de två tunna arken.

— Det är från en ung dam, som heter Bettan. Hon har gudomligt roligt i Italien och gillar inte alls att behöva återvända till Norden men tröstar sig i någon mån med tanken att hon snart får träffa Jojje i Båstad.

Han såg upp från brevet.

— Var det inte till Båstad Marianne hade tänkt fara?

— Jo, jag tror Viveka andades något om det. Och vänta ...! Jojje antydde i går att Marianne i skilsmässans stund lovade att träffa honom igen. Tydligen kom de överens om att stråla samman i Båstad.

— Men Jojje måste ju ha bestämt sig för att resa dit för länge sedan eftersom fröken Bettan vet om det ... Christer såg undrande på de blå pappersarken. Och för övrigt var det ju Rutger Marianne ville åt, eller hur?

— Hon hade väl inte haft någon framgång på den kanten och tänkte trösta sig med Jojje — det var ju en grann gosse. Eller också hade hon också planerat en Båstadssejour, och när hon fick veta att Jojje skulle dit sa hon ett vänligt: "Så fint! Då träffas vi ju där", så som en kvinna säger till en karl, som kärat ner sig i henne, för att lindra avskedets smärta. Hon behöver ju inte ha menat så mycket med det.

— Nej, och nu kan man inte fråga någon av dem längre. Men jag skulle ge mycket för att veta vad Jojje egentligen spelade för roll i hela den här historien. Jag kan nog tänka mig ett par tre personer, som hade rätt vägande motiv att röja Marianne ur vägen, men den här sköne ynglingen tycks ju ha varit tämligen oförarglig. Och ändå blev han skjuten och knuffad utför en klippa med Mariannes sidenscarf i handen.

— Kanske det skedde just *därför* att han hade den i handen.

För den måste ju betyda att han hade snokat reda på någonting.

Christer såg ut som om han försökte se ända ner i njurarna på mig.

— Puck lilla, du är väl säker på att du inte missminner dig? Angående sidentrasan menar jag. Var det inte litet väl mörkt under granen för att du skulle kunna urskilja en sådan detalj? Det var kanske en hårslinga, som låg över halsen.

Jag suckade resignerat.

— Du vet mycket väl att efter alla era förhör och misstrogna blickar är jag inte längre säker på *någonting*. Men om jag över huvud har sett den där synen under granen och inte bara drömt den så har jag också sett den röda scarfen. Den och ögonen glömmer jag inte i första taget.

Christer satte sig trött i en av de tegelröda. Han hade fläkt upp sin skrynkliga skjorta i halsen och kavlat upp ärmarna. Jag tänkte på att Pyttan som vanligt hade ganska rätt: det var idiotiskt att inte bada i en sådan här hetta.

— Det är bra, Puck, sade han och stirrade upp i rymden. Jag försökte bara tubba dig att göra det hela litet lättare för mig. För jag tycker att Jojje med den röda scarfen i handen är en puzzlebit, som inte passar in någonstans i mönstret. Den enda förklaringen skulle väl vara att mördaren tappade scarfen när han bar liket ner till båten och att Jojje hittade den. Kanske såg han vem det var som ordnade med bortflyttningen, i varje fall måste han ha vetat något som var farligt för mördaren. Och så . . .

— Nej, utropade jag så högt att Pyttan och Carl Herman avbröt sin tätatät för att lyssna till oss. Jag vet en bättre lösning. Carl Herman sa nyss att det kanske var fråga om ett samarbete. Är inte det mest antagligt också? Någon — jag skulle gissa att det var en kvinna — dödade Marianne men anförtrodde sig efteråt till Jojje, som lovade att hjälpa henne röja liket ur vägen. Han gjorde det men behöll av någon anledning sidenscarfen — kanske tappade han den på vägen, tog upp den och stoppade den i fickan — och sedan blev han orolig. Han vill få prata med sin medbrottsling, det var därför han vankade utanför stugorna i natt; han träffade henne och hon . . .

— Det är en nedrigt fin idé, instämde Pyttan entusiastiskt. Christer, medge att den är bra! Det gäller bara att finna en kvinna, som hade sådant inflytande över honom att han lånade sig till att hjälpa henne. Kanske någon svag och vek typ, som vädjade till hans manlighet och ridderlighet, kanske ...

I detta ögonblick svängde Lil Arosander om stugknuten. Hon såg så spröd och vek ut man kunde begära med sin vitskimrande hy och sitt kaméliknande ansikte. Den gröna sidenklänningen framhävde den perfekta höftlinjen, och jag såg att Carl Herman bet ihop tänderna.

— Du kommer som efterskickad, sade Christer släpigt. Jag har just längtat efter ett litet samtal med dig.

— Ett förhör? Lil viftade gäckande med en otänd Gold Flake.

— Ett förhör om du så vill. Slå dig ner.

Carl Herman tände artigt hennes cigarrett, men därefter kastade han en bönfallande blick på Christer.

— Pyttan och jag skulle ta oss en liten roddtur. Om du tillåter?

Pyttan såg ut som "alla himlar öppna sig", och Christer nickade faderligt.

— Gå ni. Jag ser helst att ni inte är närvarande. — Nej, Puck, du kan gärna stanna om du inte har något annat för dig.

Lils bärnstensögon såg begrundande efter Carl Herman, och det kom en glimt av något hårt i dem.

— Nåå?

— Jag vill upplysa om, replikerade Christer Wijk mycket lugnt, att jag sitter här som representant för polisen. Tidigare har min ställning här varit helt inofficiell, men nu har överkonstapel Berggren i samråd med statspolisen i Örebro och mordkommissionen i Stockholm bemyndigat mig att samarbeta med lokalpolisen för att reda ut två upprörande mord.

— Jag är fylld av skräckblandad respekt, mumlade Lil. Det värsta är att jag alltid har varit rysligt svag för poliser. Det fanns förresten en därnere vid stranden, som var kolossalt söt.

— Jaså, du har redan hunnit med att förvrida huvudet på konstapel Svensson. Nå, fick du veta vad du ville.

— Jag fick se på Jojje, *det* var vad jag ville. Jag är väl den enda här, som har någon känsla för pojkstackaren. Och det var ju tyvärr jag, som lockade med honom hit.

De skiftande ögonen var nu bruna och sorgsna, men hur skall man veta när en kameleont äntligen visar en färg, som är äkta? Kanske har den förresten inte alls någon sådan?

Christer lät lika skeptisk som jag kände mig.

— Du säger det själv. Det är just en av de saker, som jag vill veta mera om. Varför tog du honom med?

Lil upphörde motvilligt att vara Greer Garson och återvände till sin vanliga mer kallhamrade genre.

— För att jag just hade hittat honom. Och så hade han ingenting särskilt för sig. Och så tänkte jag — nu kunde jag svära på att hennes smalnande ögon var klart gula — att han kanske kunde bli nyttig på något sätt.

— För att avleda Anns uppmärksamhet? frågade Christer stillsamt, men jag anade nästan vad han tänkte om Lil och hennes metoder.

— Tja, kanske det.

— Trodde du att Ann var hans typ eller hade du givit honom order att koncentrera sig på henne?

Lil skrattade.

— Order? Nej vet du, Christer, nu är du dummare än jag trodde. Jojje var verkligen inte sådan att man behövde uppmana honom att förälska sig i varenda vacker varelse av det motsatta könet, som han träffade.

— Det tycks vara en egenskap, som han har gemensamt med åtskilliga andra i det här sällskapet, kommenterade Christer torrt.

Hon tog emot piken med ett retsamt litet leende. Så blev hon plötsligt allvarlig.

— Nu tror jag att du är dum igen, mon ami. Det utmärkande för det här sällskapet är tvärtom att var och en bara älskar en gång. Men det är den sant nordiska kärleken; den är envis och hårdnackad, och den tolererar inte att se föremålet i någon annans armar. Då blir det scener och uppträden och — som sista argument — mord. Jag tror faktiskt att samvaron skulle bli betydligt trivsammare om alla vore som Jojje.

Hon blåste tankfullt ut ett par eleganta rökringar, och jag sneglade på Christer för att se om han hade samma känsla som jag av att det legat mycket klokhet i Lils lilla utgjutelse. Spelet såg ytligt och förvirrat ut när man flyktigt betraktade det, men om man bara lyckades klarlägga de agerandes verkliga motiv och känslor skulle det kanske visa sig både enkelt och följdriktigt.

Christer studerade ingående Lils konstfullt lackerade tår i ett par förgyllda romerska sandaler.

121

— Hm. Du var alltså inte själv kär i din vackra skyddsling?

— Söta Christer, var inte så naiv. Det är stor skillnad på att vara attraherad av ett grant djur och att verkligen bli förälskad i en människa. Det är klart att jag var alldeles tilltjusad av så mycket manlighet och fägring, i synnerhet i början. Men det hade gått över långt innan vi anlände hit.

— Visste du att Jojje hade träffat Marianne tidigare?

— Han sa någonting om det när han fick höra att det var till Rutger Hammar vi skulle. Hon hade tydligen gjort ett så djupt intryck på honom att han till och med kom ihåg vem hon var förlovad med. Men han kände henne knappast närmare. Han hade väl stått modell för henne någon gång om jag fattade honom rätt.

— Du tror med andra ord inte att motivet till Jojjes mord kan ligga någonstans i det förflutna?

Den här gången var Lils förvåning äkta, därom kunde det inte råda något tvivel.

— O nej då! Fast det skulle på sätt och vis vara skönare om det hade varit så. Jag menar, om han hade blivit dödad som hämnd för något som han själv hade gjort eller låtit bli att göra någon gång för länge sedan. Nu verkar det så meningslöst ...

Christer avbröt hennes meditationer.

— Såg du honom vid något tillfälle i natt?

— Jag? I natt? Nej, varför det?

— Helt enkelt därför att han höll vakt på gången mellan stugan och gästrumsflygeln i varje fall till klockan halv två. Och du var ju ute och sprang ...

— Jag var till sjöss från klockan elva till halv åtta i morse.

Det var inte möjligt att se på henne att hon ljög. Ögonen var stora och klara, och hon mötte med självklar frimodighet Christers blick. Jag undrade inte på att han suckade.

— Kära Lilian, jag beundrar din ståndaktighet, men den tjänar ingenting till. Carl Herman har lagt alla korten på bordet, förstår du. Både beträffande ditt falska alibi i fredags och era förehavanden i natt. Och eftersom du inte är dum begriper du säkert att vi är mer benägna att tro på honom än på dig.

Nu var det hon som suckade. En lätt, nästan humoristisk suck.

— Naturligtvis var det bara en tidsfråga när han skulle skvallra. Men det förundrar mig ändå att det kom så tidigt. Är det verkligen du, Christer, som har förmått honom till det?

Nej, hon var sannerligen inte dum. Jag tittade ointresserat bort emot skogsbrynet, och Christer underlät att svara. Hon ryckte en smula på axlarna.

— Lögn lönar sig alltså inte. Nej, det är säkert bekvämare också att hålla sig till sanningen. Gå på du bara! Fråga mig om allt — jag talar.

— Hur länge har du varit kär i Rutger?

— Åh! På *så* personliga frågor vägrar jag bestämt att svara ... Är det Carl Herman, som har påstått att jag är det?

— Du erkände själv i förmiddags att du var hans — älskarinna, eller åtminstone att du skulle önska vara det.

— Om allt annat var lögn kunde väl det också vara det?

Återvändsgränd. Nytt försök.

— Du var ute på tu man hand med Rutger i torsdags, strax efter det att Marianne hade anlänt. Vad talade ni om då?

— Hur mycket har Rutger sagt?

— Svara inte ständigt med en motfråga! Det här är ingen diskussionsklubb för damer. Han sa väl någonting om Marianne?

— Rutger har inte sagt något om Marianne på ett år. *Jag* sa en del, men det togs inte väl upp.

— Du var inte förtjust i henne?

— Var någon kvinna det? Ja, möjligen Viveka. Men hon räknas ju inte.

Jag tänkte på Vivekas rodnad när Rutger oväntat steg in i sovrummet. Nej, den fula Viveka räknades väl inte bland så många vackra kvinnor. Men hur kände *hon* det?

— Vad gjorde du i fredags mellan halv ett och fem?

— Gick ner till båthamnen. Rodde på sjön. Grälade med Carl Herman. Gick upp på Utsiktsberget.

— Du träffade Carl Herman vid tvåtiden. Var?

— Strax bakom flygeln.

— Hur länge var ni tillsammans?

— En kvart—tjugo minuter.

— *Var du ensam hela tiden före och efter ert möte?*

— Ja.

— Var var du ungefär en kvart över ett?

— Antagligen på sjön.

— Vad gjorde du där?

— Rodde.

123

— Letade du inte efter Rutger?

— Kan jag få en tändsticka?

— Såg du någon?

— Tack. — Nej.

— Och så har vi natten till i dag. Jojje levde tydligen ännu klockan ... Han avbröt sig. Vad hade du för dig?

— Gick ner till båthamnen. Gick tillbaka igen. Lockade ut Carl Herman. Skickade in honom igen. Gick upp på Utsiktsberget.

— Du behagar tydligen fortfarande driva med oss.

— Jag har aldrig varit allvarligare. Jag såg dig.

— Var?

— Nere vid hamnen klockan halv ett och klockan fyra på Utsiktsberget.

Han såg överraskad på henne.

— Var det dig jag jagade? Dig ensam? Vad tusan gjorde du där uppe mitt i natten?

— Såg på soluppgången. Solen går upp i norr ... Förresten talade jag med Jojje.

— När?

— Klockan halv fyra när jag skilts från Carl Herman. Han såg trött ut, och han sa att han väntade på någon, men jag tror att han misströstade om att denna någon skulle komma.

— Är du säker på att han inte följde med dig och såg på soluppgången?

— Du tror inte på mig?

Och det var Lils sista fråga i den ronden.

Nu hörde vi nämligen motorbåten, och den hördes förvånansvärt nära. Vi gick ut på sluttningen och såg den kraftiga båten fullastad med karlar styra in emot den lilla badbryggan. På släp hade den Uvfallets gamla roddbåt, också den fylld av folk. Rutger kom springande någonstans ifrån och skrek åt Einar att akta sig för stenar, och Lillborgens söndagsfrid var komplett förjagad. Snart vällde det upp karlar på gräsplanen; det var fjärdingsmannen och överkonstapeln, och en småknollrig ung man med röd hy och blanka knappar, som jag identifierade som konstapel Svensson, och så var det åtta infödingar i alla storlekar och åldrar. I synnerhet de yngre sneglade på oss med alldeles ohöljd nyfikenhet, men Leo Berggren dirigerade snabbt allesamman bort till

124

skogsbrynet.

— Stugorna och udden här har kommissarie Wijk letat igenom, förklarade han, så där har ni ingenting att göra. Men nu ska vi organisera drevet.

Eje och Christer accepterades som medlemmar i laget, och under höga rop satte kedjan i gång. Men Rutger stirrade efter den med något som liknade hat i blicken.

Ingen hade väl väntat att de skulle finna något, och det gjorde de inte heller, men det var ändå en lättnad när hela skaran efter några timmar drog bort igen. Det var emellertid inte slut på obehagligheterna. En efter en kallades vi in i biblioteket för att konstapel Svensson skulle få våra fingeravtryck. Leo Berggren var på utpräglat dåligt humör, och när jag skyggt frågade om han trodde att avtrycken kunde hjälpa till att klara upp mysterierna skakade han buttert på huvudet.

— Det är en slug rackare vi har att göra med, och han har minsann inte lämnat några lämpliga föremål efter sig. Ett lik, som har legat i vatten, ett annat, som har gått upp i rök, och en revolver, som med säkerhet vilar på sjöbotten... Nej, den här vägen kommer vi knappast åt honom.

Vi åt en försenad och mycket tyst middag, och efter den for Christer, Eje och överkonstapel Berggren på nytt in till Forshyttan. Den knollrige posterades på diskret avstånd från stugan, men ingen kände sig ändå hågad att som vanligt slå sig ner ute på gräsplanen efter maten. Jag vet inte vem som först nämnde ordet bada, men Rutger tog fasta på det och föreslog att han skulle ro oss till Lillsjön.

— Så kommer vi bort härifrån ett tag.

Till och med Ann var pigg på att göra den lilla utflykten, men Pyttan påstod att hon skulle stanna hemma och diska.

— Jag badar här nere vid bryggan sedan. Ge er i väg!

Och då kände jag att en kväll tillsammans med Pyttan var oändligt mycket mera lockande än ett bad i Lillsjön med Lil och de andra.

Den knollrige blev alldeles förvirrad inför denna sakernas nya utveckling. Tydligen hade han inte fått några order att kvarhålla oss på platsen, men nu visste han inte om han skulle stanna kvar och bevaka Pyttan och mig eller om han skulle följa med till

Lillsjön. Men Pyttan, som kände honom sedan skoltiden i Skoga, viskade en del saker i hans öra, och det hela slutade med att sällskapet avtågade till båthamnen medan konstapel Svensson gick ner för att bada vid vår brygga.

Och Pyttan och jag diskade. Under tiden lockade hon mig att utan förbehåll berätta allt jag hört och sett och misstänkt och anat. När jag på detta sätt lade fram det hela i ett svep märkte jag på nytt hur allting, direkt eller indirekt pekade mot Rutger. Jag delgav också uppriktigt Pyttan denna förkrossande upptäckt.

— Du ser ju, slutade jag klagande, att det bara finns två alternativ. Antingen har Rutger mördat Marianne eller också har någon annan gjort det på grund av kärlek till Rutger.

Pyttan vred frånvarande ur disktrasan och torkade sig om händerna. Hon var en smula blek, men ögonen glänste beslutsamt.

— I så fall borde jag ha möjligheter att bidra till problemets lösning, eller hur? Jag skulle tro att jag känner Rutger bättre än någon annan, möjligen med undantag för Marianne. Det sista lät litet bittert. — Kom, så sätter vi oss och *tänker* en stund. Vår mattegubbe påstår alltid att det ska vara så nyttigt.

Pyttan gjorde omsorgsfulla förberedelser för sitt tänkande. Hon valde länge bland grammofonskivorna och ordnade till slut en liten prydlig hög bredvid sig. Därpå plockade hon fram en chokladask ur någon mystisk gömma, samlade alla sällskapsrummets kuddar på den väggfasta bänken och tog äntligen itu med att veva upp grammofonen.

— Fånigt att inte ha elektrisk ström! Men Rutger påstår att det skulle gå på vansinniga summor att dra hit ledningar och sådant. Fast jag tycker då att det skulle vara värt det att slippa stå och veva och arbeta fem minuter mitt i Siegfrieds Rhenfärd. Puh!

Hon lade sig bekvämt på bänken, jag hade redan gjort detsamma på soffan, och ut i kvällens tystnad strömmade med en våldsam kraft den wagnerska musiken. Jag skulle just fråga hur hon inbillade sig att man skulle kunna tänka under ett sådant oväsen när Carl Herman stillsamt kom inpromenerande genom dörren och slog sig ner i en av de gröna fåtöljerna.

— Har ni konsert?

— Inte precis någon vanlig konsert, upplyste Pyttan allvarligt. Snarare musik under arbetet. Vi arbetar med att försöka ringa in

126

en mördare.

— Får jag vara med? Jag ska gärna sköta grammofonen, utlovade han när han såg Pyttans imponerande skivhög. Jag hade liksom ingen lust att ro till Lillsjön.

Jag nickade moderligt.

— Klok gosse ... Och jag tillade upplysningsvis: Pyttan vet numera *allt*. Om dig och Lil, och Lil och Rutger, och Rutger och ...

Pyttan satte sig upp bland alla kuddarna.

— Har ni tänkt på att vi har släppt i väg Rutger och tre misstänkta kvinnor på egen hand? Tre kvinnor, som alla är kära i samma karl ...

— Men inte är väl Viveka ..., började Carl Herman. Han uppbyggdes genast med en skildring av episoden i sovrummet och tystnade, till ytterlighet förvånad.

— Tror du inte att det är tänkbart?

— Jo ... Jo då. Det är nog till och med mycket tänkbart fast man bara aldrig har tänkt så långt förut. Stackars gamla Viveka! Det är ju klart att hon också måste ha känslor i kroppen.

Han vevade energiskt, och efter någon minut kunde Siegfried fortsätta sin avbrutna Rhenfärd. Vi försjönk i tystnad.

Jag upptäckte att det var omöjligt att fundera ut någon som helst annan teori än den, som räknade med Rutgers skuld. Vart jag vände mig stötte jag på Rutger. Han hade älskat Marianne och skilts ifrån henne efter en hemlighetsfull och ytterst upprörd scen. Han hade inte varit sig lik alltsedan han fick sin våldsamma chock vid hennes uppdykande framför Lillborgen. Han hade över huvud taget inga alibin för de båda mordtillfällena. På fredagen var han den enda, som kom för sent till middagen. Han visste något om mitt armband ...

— Har du *bara* valt Wagnerskivor, Pyttan lilla? frågade Carl Herman med lätt oro i stämman. Tycker du inte att det blir litet väl kompakt på något sätt?

— Jag *älskar* honom. Pyttan låg nu på magen och åt flitigt ur chokladkartongen. Jag har hört någon, som sa att han har en osund och *pervers tonalitet,* men det kan jag då inte förstå. Annars ligger det en Tjajkovskij underst.

Som alltid gjorde mig f-mollsymfonien underligt rastlös och orolig. Wagner hade bestämt varit bättre i alla fall, nu gick det inte att koncentrera sig alls ...

127

Pyttan lyckades bättre. Mitt i sista satsens begynnelseackord stängde hon plötsligt av grammofonen och stirrade triumferande från mig till Carl Herman. Den ovana tystnaden var nu lika irriterande som musiken nyss.

— *Jag har det,* sade hon med tonvikt på varje ord. Egentligen har jag nog haft det hela tiden fast jag inte har begripit det... För det första tycker jag faktiskt inte om henne. Ja, se inte så misstrogna ut, man *måste* bygga en del på sin intuition också. Jag utgick från det. Det måste kännas något konstigt i luften omkring en person, som kan gå omkring och mörda två människor på tre dagar och till på köpet lyckas hålla det hemligt. Och det *är* något konstigt och otrivsamt omkring henne. Jag vill inte vara ensam med henne; jag vet inte vad jag ska prata om, och ... och det känns alltid som om det var ett lufttomt rum emellan oss.

— *Älskade* lilla Pyttan, *vad* är det du talar om? Carl Herman hade fullständigt tappat anletsdragen.

— Men det är ju solklart, förklarade Pyttan. Hon är kär i Rutger — naturligtvis. Men hon måste ju ha begripit länge att han *inte* bryr sig om henne, inte ens det här sista året har han ju tänkt på någon annan än Marianne. Och så stod hon inte ut att se honom tillsammans med henne; jag kan *slå vad om* att han i alla fall träffade Marianne natten före mordet, och det måste hon ju ha vetat... Och förresten verkar det väl konstigt med allt det där sovandet? Hon sov från ett till fem på fredagen — mitt på dagen! — och hon sov i natt så att hon nästan var redlös.

— Ja. Jag nickade upphetsat. Hon har verkligen haft både tillfällen och motiv. Och jag måste erkänna att jag inte heller tycker om henne. Jag har inte trivts i köket förrän Pyttan kom hit...

— Vad talar *du* om? Nu var det Pyttans tur att se konfunderad ut. Låt mig avsluta min bevisföring i lugn och ro. För det första: hon är stark nog att både strypa en människa och sedan frakta bort henne till okänd ort, det vet vi, för *hon rodde en halv mil med lösa åror,* och det är mer än jag någonsin skulle åta mig. För det andra: hon ville inte att jag skulle ligga i hennes rum, det märkte jag på henne. För det tredje: *hon bjöd ut sömntabletter till höger och vänster i går kväll* för att alla skulle sova medan hon promenerade ut och avverkade Jojje. Men som tur var, var det inte många som gick i den fällan. För det...

Hon uppfattade vår förstenade häpnad och tillade lugnt:

— Jag tror bestämt att det räcker. Och jag vill bara tala om en sak. *Jag tänker ligga inne hos Viveka i natt.*

Och Pyttan satte på nytt i gång skivan.

— Allegro con fuoco, mumlade hon. Det är finalen, som börjar. Tycker ni inte att den är tjusig?

Elfte kapitlet

Och Pyttan spelade vidare.

När Wotan hade tagit ett smärtsamt farväl av Brynhilde och eldslågorna med öronbedövande frenesi slagit upp omkring valkyrieklippan och när så småningom även Isolde älskat färdigt och dött hade Carl Herman och jag äntligen lyckats smälta Pyttans förbluffande teori. Vi såg på varandra, lätt skakade, och sade försiktigt:

— Det ligger någonting i det. Det där med sömntabletterna *är* misstänkt...

Vi ryckte därpå skuldmedvetet till när vi hörde Vivekas djupa, varma röst utanför dörren. Rutger och hans kvinnor tycktes ha haft en utomordentligt trevlig färd, och nu var alla hungriga och törstiga som vargar. Rutger skickades på den sedvanliga kvällsexpeditionen till källaren, och Pyttan fällde grymtande ihop grammofonen.

— Ni gör då inte annat än äter på det här stället. Det är ju bara en liten stund sedan jag diskade.

— Sitt stilla du, uppmanade Viveka. Jag hjälper Ann. Du har sannerligen gjort nog för i dag.

Hon var bussig och vänlig som vanligt! Det våta håret hängde i små testar och bidrog inte precis till att försköna henne, men där hon flitigt traskade fram och tillbaka mellan köket och sällskapsrummet var den magerlagda kraftiga gestalten i de fula gamla långbyxorna så trivsam och mänsklig och normal att jag blev uppriktigt förargad över de visioner, som Pyttans fantasi och Wagners musik nyligen kommit mig att tro på. Carl Herman såg ut att tycka detsamma för han ägnade sig med påfallande iver åt att vara handräckning till Viveka; Lil fick bolma ensam i sin gröna fåtölj.

Det skymde hastigt, och Rutger tände den vackra fotogenlampan i taket. Pyttan hämtade in konstapel Svensson, och inte ens denna påminnelse om vår belägenhet kunde förhindra att det blev en riktigt gemytlig och hemtrevlig kväll. Lil tog för övrigt hand om den rödblommige konstapeln med sådan helhjärtenhet att det roade hela sällskapet — däri inräknat Carl Herman! — och fullständigt förvirrade föremålet självt. Till slut frågade hon medlidsamt om han skulle stå på post ute på gräsplanen hela natten.

— Å nej vars, överkonstapeln och kommissarie Wijk löser nog av mig emellanåt.

— Men då måste ni ju ha någonstans att sova! Ann, var ska vi lägga honom?

Pyttan grep det lysande tillfället och erbjöd polismakten sitt tält som högkvarter.

— Jag ligger faktiskt lika gärna inomhus i natt. Jag kan flytta in i Vivekas rum.

Viveka verkade en aning förvånad men absolut inte oangenämt berörd.

— Du är hjärtligt välkommen, nickade hon. Jag har också alltid föreställt mig att en hederlig säng är att föredra framför granris och sovsäckar.

Men Rutger ingrep med oväntad skärpa.

— Om du ska ligga inomhus kan du ta Georges rum, det är ju ledigt.

Pyttan blev ett ögonblick svarslös, men bara ett ögonblick.

— Tack, men om du hade en gnista fantasi skulle du förstå att jag vill lämna mitt kära tält därför att jag efter min upptäckt i morse känner ett visst behov av mänsklig gemenskap när mörkret faller. Jag vill *inte* särskilt gärna ligga ensam i just det rum, där Jojje har allra mest anledning att spöka.

Rutger såg inte ut som om han trodde på Pyttans hastigt påkomna mörkrädsla, men han dekreterade kort och bestämt:

— Då får du lägga dig i min säng. Jag kan flytta in i Jojjes rum; jag är inte rädd för spöken.

Ann såg häpen ut, men det var säkert ingenting mot vad Pyttan och jag kände oss. Vad menade han? Varför var han så angelägen om att Pyttan inte skulle ligga inne hos Viveka? Hade han hemliga kärleksmöten med henne på nätterna, eller trodde han att det på något sätt var farligt för hans lillasyster att vara i enrum med henne? Jag tyckte att frågetecknen syntes utanpå mig.

Det blev emellertid som Rutger ville. Pyttan gjorde en dyster grimas när vi sade god natt, men hon stannade i stugan. Lil följde konstapeln ut till hans post, och Carl Herman skakade sorglustigt på huvudet medan vi vandrade bort mot gästflygeln.

— Han behöver nog inte ha det ensamt i natt om han inte vill. Men det där gör hon för att reta någon... Dock inte mig! God natt, Puck, och tack för i dag!

Det dröjde en evighet innan jag fick eld på fotogenlampan, och jag tyckte allt sämre om ensamheten och mörkret. Jag skulle trots allt inte ha haft något emot en av Vivekas sömntabletter. Varför kunde Lil aldrig någonsin hålla sig hemma en kväll? Och var höll Eje och Christer hus?

Jag kröp ner i sängen och drog täcket över huvudet. Och så småningom drömde jag att det låg ett lik i Lils säng. Det låg framstupa, och något tvingade mig att gå fram och vända på det. Då såg jag att det inte hade något ansikte. Ovanför halsen fanns det bara ett svart hål...

Mitt nattlinne var genomvått, och jag kände mig underligt kraftlös i hela kroppen. Till min oerhörda lättnad fann jag emellertid att det var ljust ute, och efter en segsliten kamp mellan min feghet och mitt förstånd vågade jag till sist resa mig upp och kasta en blick på sängen bredvid. Lil sov lugnt och tryggt med det guldröda håret utbrett över kudden. Min puls gick ner till normalt tempo medan jag betraktade — och beundrade — henne. Hon var verkligen vacker! Hennes mun hade ännu i sömnen ett egensinnigt uttryck som hos ett barn, som inte fått den leksak det vill ha. Och jag undrade hur långt hon var beredd att gå för att skaffa sig den.

Jag var alltför vaken för att kunna sova mer, och så smög jag mig upp, satte på mig shorts och blus och öppnade försiktigt dörren. Solen hade för länge sedan gått upp, men ingen människa syntes till. Jag drog ett djupt andetag och strövade fram mot gräsplanen.

I en av de tegelröda stolarna satt Viveka.

— Hallå, ropade hon halvhögt. Är det fler än jag, som inte kan sova?

Jag sjönk ner i en stol mitt emot henne och frågade vad klockan var.

— Halv sju, så det är egentligen alldeles naturvidrigt att vara

132

uppe redan.

Hon hade ringar under ögonen och föreföll trött och bekymrad. På stolens armstöd balanserade hon ett askfat, vars mängd cigarrettstumpar fascinerade mig.

— Är det du, som har konsumerat all den där tobaken, så måtte du ha varit vaken länge? Varför tar du inte ett par tabletter, du har ju så bra sådana?

— Jag gjorde det men vaknade ändå klockan fyra. Och jag törs inte äta för många.

Hon såg dystert på mig.

— Det är vidrigt, är det inte? Jag har alltid avskytt måndagsmornar, men den här överträffar sannerligen alla tidigare. Jag känner på mig att det kommer att hända fler olyckor innan dagen är över.

— Jag tycker det räcker så bra med dem, som har varit — du behöver inte alls sia om ännu flera, sade jag avvärjande, och det blev en paus i samtalet.

Men det var ingen tryckande tystnad, och plötsligt erinrade jag mig Pyttans påstående att det skulle vara svårt att prata med Viveka och omöjligt att få kontakt med henne. Vad kunde flickebarnet mena med det? Viveka föreföll mig lika tillgänglig och lättsam att umgås med som någonsin Pyttan själv, och om hon just nu var litet mer tystlåten och mindre humoristisk än vanligt så var det förvisso ingenting att förvåna sig över. Tanken att hon skulle kunna ha något med de båda morden att skaffa var direkt vanvettig; jag kunde i varje fall inte föreställa mig att en normal och hygglig genomsnittsmänniska som hon så effektivt skulle kunna dölja en dylik hemlighet.

— En krona för dina tankar!

Jag kände mig ertappad och skamsen. Och bara för att någonting säga svarade jag:

— Jag tänkte på Marianne. Jag hann ju aldrig få något intryck av henne. Hade du känt henne länge?

— Sedan hennes första tid på Högskolan.

— Hon var Studentteaterns primadonna, har jag hört. Såg du henne spela?

— Ja, många gånger. Hon var fin. Men Rutger var ännu bättre.

— Vad? Spelar Rutger teater? Det skulle man inte tro. I vil-

133

ken genre gick han? Berätta litet!

— Jag har sett honom göra Gustav Vasa så att man glömde att det var en student man hade framför sig. Det var minsann inte bara gestalten, som imponerande, fast den kanske bidrog den gången... Och han har gjort Jean mot Marianne som fröken Julie. När han förmådde henne att gå ut med kökskniven i handen vibrerade hela salongen av beundran. Och hat.

Hon tystnade så tvärt att hon just därigenom strök under vad hon tydligen inte ville säga. Utan tvekan var den bild hon hade frammanat den olyckligaste tänkbara. Jean, som sänder fröken Julie i döden därför att det är det enda slut på deras förbindelse, som kan rädda honom...

— Var du själv med och spelade teater? frågade jag i en nästan panisk känsla av att vi måste tala om något annat än Rutger som den brutale betjänten-älskaren i Strindbergs fräna drama.

Viveka gjorde en tragikomisk grimas.

— Spelade vad? Förste älskare kanske?

Jag insåg att jag begått en liten taktlöshet. Vid Studentteatern vill man ha söta och raffinerade flickor sådana som Marianne — Viveka skulle inte ha stora chanser att få några roller annat än som en och annan gammal gumma ute i periferien, och det var hon säkert för begåvad för.

Beslutsamt växlade jag in på ett annat spår.

— Jag grubblar så på en sak: när och hur Marianne tappade mitt armband. Carl Herman hittade det i fredags långt inne i skogen. Vi saknade det, som du minns, vid frukosten. Och Jojje påstod att hon bar det när de två skildes vid elvatiden i torsdags kväll. Inte lade du märke till om hon hade det kvar när hon klädde av sig?

För en sekund kom det ett uttryck av tvekan i Vivekas blick. Därpå släckte hon omsorgsfullt sin halvrökta cigarrett och såg mig rätt in i ögonen.

— Jag har just undrat om jag skulle säga något eller inte. Men Christer har ingenting frågat om natten *före* mordet, och så har jag tyckt att jag inte skulle prata om det som inte angick mig. Det kanske var tokigt, och i alla händelser tycks frågan vara ställd nu. För jag kan inte svara något annat på din speciella fråga än att jag ingenting vet om ditt armband. *Marianne lade sig nämligen aldrig den natten.*

Hon uttalade den sista meningen med starkt eftertryck som om det varit en lättnad för henne att bli av med hemligheten. Jag nästan flämtade av överraskningen.

— Menar du att hon var ute *hela* natten? Är du säker på det?

— Alldeles säker. Jag sov illa och tyckte inte jag ville börja med sömnmedel första natten. Hon kunde knappast ha kommit in utan att jag hade märkt det. Förresten var sängen orörd — om vi nu ska bygga på ett av Christers mest älskade argument. Hon kom in klockan åtta för att hämta en baddräkt men försvann igen innan jag hunnit morna mig tillräckligt för att prata med henne.

— Men vad gjorde hon ute? Vem var hon tillsammans med? Viveka, vet du det?

Hon slog ner ögonen. Så skakade hon på huvudet.

— Jag ska inte neka till att jag gissar det. Men jag *vet* ingenting, och därför vill jag helst ingenting säga.

Hon behövde emellertid inte tala för att jag skulle förstå vad det var hon gissade. Marianne hade skilts från Jojje klockan elva och från Carl Herman klockan tolv. Einar var utesluten; återstod alltså endast Rutger. Det slog mig att Pyttan hade haft rätt när hon antog att Marianne och Rutger ändå hade träffats natten före mordet och att Viveka vetat om det. Men att därav sluta sig till att det varit Viveka som dödat Marianne i ett anfall av svartsjuka, gick knappast. Det kunde i så fall precis lika gärna ha varit Ann eller Lil. Och Rutgers egen roll blev för varje ny hemlighet, som kom i dagen, allt mer misstänkt. Han hade tydligen inte varit helt och hållet likgiltig för Marianne om han tillbragt en hel natt tillsammans med henne?

Viveka betraktade mig stadigt.

— Nu tror jag att jag höjer anbudet till fem kronor. För dina tankar menar jag. Man nästan ser hur de virvlar runt under de där söta lockarna.

Jag försökte att le.

— Du borde nog tala om allt det här för Christer, tror du inte det?

— Jo, och det ska bli skönt. Förresten undrar jag om vi inte snart vågar väcka honom och det övriga sällskapet.

Vi vågade det, och inom en halvtimme var det liv och rörelse igen på Lillborgen. Himlen var molnfri, och hettan blev för var timme allt mer tryckande.

135

— Det är precis som det var i fredags, konstaterade Viveka irriterat, och alla var överens om att det säkert på nytt höll på att dra ihop sig till åska.

Fram på förmiddagen kom Einar och frågade om jag ville bila med honom till Skoga. Han skulle dit ner i några uppdrag för polisens räkning, och vi skulle dessutom passa på att göra en del uppköp åt Ann. Jag accepterade med förtjusning. Bara tanken att komma bort från Ön för några timmar kändes som en befrielse. Dessutom hade jag sannerligen inte sett mycket av Eje de senaste dygnen.

— Men sätt på dig något anständigare, uppmanade han med en talande blick på mina bara lår. De är visserligen vackra, men jag vill inte att min blivande fru ska chockera Skoga redan i första omgången.

Eftersom värmen lade absoluta hinder i vägen för långbyxor skrudade jag mig i min vita linneklänning. Den framhävde solbrännan och såg åtminstone sval ut även om den inte var det. Einar uppenbarade sig också i helvitt, och Pyttan, som körde oss över till Uvfallet, förkunnade att vi var söta, en komplimang som Einar inte alls uppskattade till dess fulla värde. Vid Uvfallet väntade ännu fler karlar än dagen förut. Det var draggningsmanskapet. Den energiske överkonstapel Berggren hade till och med låtit forsla dit ett par extra ekor från en sjö i närheten. Jag skulle gärna ha velat se hur det gick till att dragga, men Eje stuvade i stället in mig i en elegant ljusblå A-bil, som visade sig tillhöra Christer Wijk, och därpå bar det i väg upp och ner för backar i en oavbruten berg- och dalbana. Men det var en enastående vacker väg, och gång på gång bad jag Einar stanna för att jag bättre skulle kunna beundra utsikten över en glittrande Bergslagssjö eller en dalsänka med en klarbrun liten å. Han uppfyllde gärna min begäran dels därför att han gladde sig åt min spontana förälskelse i hans hembygd, dels också därför att han när han körde inte hade ögon för annat än vägen. Och vi hade så mycket att ta igen...

Vi talade inte mycket — det var liksom nog för oss att äntligen få sitta ensamma sida vid sida — och vi talade i varje fall inte mord.

Skoga var den vackraste och mest idylliska lilla stad jag någonsin skådat. Varje gata tycktes sluta i vatten, och de låga gamla

136

trähusen med sina konstrikt snidade väldiga portar viskade om gångna storhetstider här uppe i Bergslagen. Einar var en kärleksfull och kunnig ciceron, och eftermiddagen rann hastigt ifrån oss. Vi hade redan i bilen diskuterat frågan om Einar skulle ta med mig hem och föreställa mig för sin syster och svåger, men vi ansåg snart att det inte skulle vara möjligt att sitta och konversera dem utan att röja de senaste dagarnas kusliga händelser, och det ämnet ville vi en gång för alla inte diskutera, så besöket fick bero fast det var tydligt att Eje i varje gathörn var orolig att stöta samman med sin högt älskade syster. När vi slutligen uträttat alla ärenden och uppdrag — det tog tid eftersom alla människor skulle skaka hand och prata en stund — var klockan över fem, och Eje föreslog att vi skulle äta middag på Stadshotellet. Det blev utomordentligt lyckat, och vi var båda medvetna om att vi för var minut blev allt lyckligare och kärare. Vid kaffet suckade jag emellertid djupt och påminde Einar om de dystra ting, som låg framför oss.

Han nickade.

— När man sitter så här på avstånd från alltihop fattar man inte att det är sant.

— Har Christer kommit någon vart? Har han fått reda på något som jag inte har hört?

— Det är mest vanligt rutinarbete, som polisen har utfört. De har införskaffat en del upplysningar om de inblandade, men jag tror inte att det var något nytt. Annat än uppgiften att Jojje verkligen hade beställt hotellrum i Båstad för över en månad sedan. Någon beställning i Mariannes namn fanns det däremot inte.

— De kanske tänkte dela rum? föreslog jag glatt.

Einar försökte se ogillande ut.

— Vad tror du egentligen om moralen i våra kretsar? Nej, min älskling, *utåt* försöker vi i alla fall att uppträda anständigt.

— Du kanske. Men jag är inte säker på Marianne Wallman.

— Allvarligt talat, Puck, tror du att det var något mellan dem innan de kom till Lillborgen?

— Nej, jag tror inte att det "var" någonting annat än ett par kyssar där heller. Det var alldeles säkert inte honom hon tillbragte natten med ...

— Vilken natt?

Ejes förvånade min föranledde mig att berätta allt jag fått

137

höra och veta. Han omtalade i gengäld vad han visste, och jag fäste mig särskilt vid två saker. Christer hade lyckats klarlägga att Rutgers revolver, som Jojje med all sannolikhet skjutits med på lördagsnatten, funnits i bordslådan bredvid Rutgers säng i varje fall på fredag middag. Då hade Ann nämligen dragit ut lådan för att leta efter huvudvärkspulver. Men under lördagens lopp hade praktiskt taget alla haft tillfälle att smyga in och ta den. Vid middagen på lördag nämnde Pyttan i allas närvaro att den fanns där.

Den vägen gick det tydligen inte att komma fram.

Einar berättade också att man hade funnit otvetydiga bevis för att Jojje verkligen vankat av och an mellan stugan och gästflygeln under en god del av lördagsnatten. Mängder av cigarrettstumpar samt avbrända tändstickor skvallrade därom och visade även att han vid åtminstone två tillfällen gjort små avstickare en bit in i skogen, där han tydligen hållit sig dold för att inte bli sedd från husen. Om vi kunde lita på Lils uppgift att hon talat med honom så sent som halv fyra måste han alltså på detta sätt ha stuckit sig undan både när Christer företagit sin andra inspektion av våra sovvanor vid halvtretiden och när Einar återvände från sin misslyckade utflykt en stund senare.

Mitt kaffe hade kallnat, och jag ritade obegripliga geometriska figurer på servetten.

— Då skulle han alltså ha stått där ute från klockan elva till halv fyra på morgonen. Det verkar ju fullständigt snurrigt. Vad i alla helgons namn väntade han på?

— På mördaren. Det tror jag man kan vara ganska säker på.

— Och vem var det?

— Älskade Puck, om jag visste det skulle jag gå raka vägen upp till Edvardssons guldsmedsaffär och köpa dig en slät, blank guldring. Och sedan skulle ...

— Håll dig till ämnet. Det är förresten stängt redan!

Einar rökte en stund under intensivt grubbel.

— Tror du på Lils vittnesmål? frågade han därefter.

— Nej ... Ja. Hur så?

— Om hon talar sant var det knappast henne han väntade på.

Och så fortsatte vi att vända ut och in på problemet tills vi var ännu mer förvirrade än när vi började. Vi var överens om att både Rutger och Lil uppförde sig mycket egenartat, och Einar påpekade motvilligt att detta var mest graverande för Rutger,

138

som i vanliga fall var ytterst sanningsenlig och pålitlig. Lil handskades även till vardags en smula lättvindigt med sanningen, varför hennes lögner mycket väl kunde förklaras utifrån ytligare motiv än ett dubbelmord. Men inte heller Viveka och Ann hade några alibin, och om svartsjuka var drivkraften till det första brottet passade de bägge oroväckande bra in i det dunkla mönstret.

— Eller också ...

Jag såg storögt på den allvarlige piprökaren, som satt bredvid mig i soffan.

— eller också är det du, som är mördaren. Du hade misstänkt bråttom att överge mig när vi kom tillbaka från vår simtur på fredagsmiddagen. Vad gjorde du egentligen då? Du ville inte alls se på liket innan vi for in till Forshyttan på natten — kanske visste du att det inte längre låg under granen? Och du kom direkt uppifrån Stupet i går morse rakt ner till den plats, där mördaren visste att Jojje måste ligga ...

— Ja, sade Einar, jag har mordmani, och det var ju skönt att du upptäckte det i tid. Men det där med Jojje var ett litet misstag; jag har annars specialiserat mig på kvinnor. Och än finns det flera vackra sådana kvar på Lillborgen ...

Kyparen på Skoga Stadshotell, som inte var van vid offentliga kärleksscener, tappade nästan den bricka han kom balanserande med ... Men den korrekte licentiat Bure brydde sig inte längre om vare sig mitt eller sitt rykte i Skoga.

Vi hade dröjt oss kvar alltför länge, och Eje var en smula orolig att Pyttan skulle ha tröttnat på att vänta vid Uvfallet, i synnerhet som blåaktiga åskmoln tornade upp sig allt högre just åt Forshyttehållet. Klockan var nio när vi parkerade bilen inne på Larssons gård, och det mörknade snabbt. Men nere vid stranden väntade inte bara Pyttan, som just lastade ut de sista karlarna ur motorbåten, utan Christer och överkonstapel Berggren och åtskilliga andra.

Jag hojtade en glad fråga hur det hade gått för dem men tystnade förskräckt när jag såg att den lilla folkskaran stilla delade sig för att ge rum för några karlar med en bår. Den var omsorgsfullt övertäckt med en segelduk, men jag drog mig ändå bävande tillbaka. Åskan mullrade sakta över berget i norr, och Uvlången var svart och stor och ödslig.

Pyttan, som hade kommit fram till mig, berättade halvhögt att de hade funnit Marianne först framåt kvällen en bit från den punkt, där ån föll ut ur Uvlången, rätt nära Lillsjön. Viveka, som just utsatts för ett tvåtimmars korsförhör av Christer, bröt samman när hon fick veta det och bad att få slippa identifiera henne. Carl Herman hade erbjudit sig i hennes ställe och kommit tillbaka vit som ett lärft, och stämningen ute på Lillborgen var över huvud taget dystrare än någonsin tidigare.

Christer, som hade tid att tänka på allt, ingrep nu och gav Pyttan order att köra mig och Einar tillbaka till Ön. Einar skulle återvända litet senare och hämta Christer och överkonstapeln.

I båten fick vi en utförligare redogörelse för vad som hade hänt. Dagens största prövning hade uppenbarligen varit en invasion av journalister och fotografer, framför allt från Stockholmstidningarna. De hade visserligen samtliga varit hyfsade och så diskreta som det stod i deras förmåga, men bara medvetandet att vi från och med morgondagen skulle figurera i alla landets tidningar gjorde i synnerhet Rutger utom sig.

— Sanna mina ord, sade Pyttan nedslaget, om det inte snart händer något, som gör slut på det här, så tror jag att det blir en ännu värre katastrof än det redan är. Vem mördaren än är måste ju det här nervkriget göra honom smått hysterisk.

— Det är kanske bra det, anmärkte Einar stillsamt. Då kan det ju finnas chanser att han blottar sig.

— Om han inte ställer till med fler olyckor dessförinnan, ja, svarade Pyttan, som tydligen bestämt sig för att se allting nattsvart.

Men hon sken upp en smula när hon berättade att hon framlagt sin teori för Christer, som hade tagit den så allvarligt att han genast kastat sig över Viveka.

— Han misstänker henne skarpt, det vet jag, och hon har varit alldeles nere hela kvällen.

Åskvädret kom allt närmare, och det var med beklämt hjärta jag på nytt steg i land i båthamnen. Hurudan upplösningen än blev skulle den säkert bli obehaglig för oss alla.

I skogen var det redan mörkt, och trots allt verkade därför sällskapsrummet oerhört inbjudande med sin flammande brasa och sina milda fotogenlampor. Lil, Carl Herman och Rutger spelade bridge, det framgick genast av herrarnas tankedigra utseende och Lils indignerade: "Men söta Carl Herman, du be-

gärde ju hjärter, gjorde du inte det?" när Rutger just tog hem hennes hjärterspel med esset.

— Ett ögonblick, sade Rutger över axeln, den här robberten är snart slut.

— Vem är fjärde man? frågade jag med en blick på de upplagda korten och den tomma stolen mitt emot Rutger.

— Viveka, men hon har kilat till källaren efter mera konjak. Ann är i köket.

Det var hon, och hon tog emot oss och hela vår packning med varmt tack och löfte om te och smörgås. Jag gick tillbaka in och åsåg under tystnad hur Rutger tog hem ytterligare tre stick åt sig och Viveka. Han spelade samlat och skickligt medan Carl Herman kapitalt fuskade bort en storartad chans och följaktligen fick ordentligt på huden av Lil när spelet var över. Han smålog med spjuveraktig resignation mot mig, men han var fortfarande mycket blek. Rutger räknade ut poängsumman och knorrade därefter högljutt över Viveka, som aldrig kom med konjaken.

— Det är då märkvärdigt att man ska få lov att göra allting själv om det ska bli ordentligt uträttat.

Han försvann genom de öppna dörrarna, och Carl Herman frågade bedjande om inte Pyttan och jag kunde spela "tummen opp" med honom i stället för bridge, där han bara fick ovett.

— Skalder, genmälde Lil, skulle aldrig försöka utföra något nyttigt arbete. För ser du, raring, du är oemotståndlig när du skriver obegripliga dikter till kvinnornas ära, men bridge ska du inte ge dig på.

Pyttan blickade svärmiskt på sin idol.

— Jag tycker att folk, som spelar bridge, är vansinnigt tråkiga. Och så grälar de jämt. Ann är klok, som vägrar att spela mot Rutger.

Då föll slaget. Rutger formligen vacklade in, och hans grå ögon var uppspärrade och skrämda. Han stödde sig mot bordet och flämtade tungt.

— Rutger! Vad är det?

Han såg på oss med bottenlös förtvivlan i blicken.

— Det är djävulen, som är lös. Viveka ligger utanför källardörren. Hon är ... hon är död.

Tolfte kapitlet

Christer frågade mig efteråt hur de övriga uppförde sig och uppträdde när de började fatta vad det var Rutger hade sagt. Jag var honom emellertid till mycket liten hjälp. Jag glömde nämligen i det avgörande ögonblicket fullständigt bort att jag intog en hedersställning som polisens förtrogna och — i någon mån — medhjälperska, och jag var så uppfylld av min egen häpnad, misstro och skräck att jag knappast märkte att det fanns andra människor omkring mig. Jag visste mer på grund av min instinkt än mina sinnen att Einar inte var närvarande, däremot stod Ann i köksdörren vit och orörlig som en marmorstaty. Men däri låg det ingenting konstigt; tvärtom verkade det som om vi alla hade blivit förlamade både till själ och kropp. Den onaturliga och beklämmande tystnaden bröts av Einar, som skämtsamt lade sin arm om Anns midja för att flytta henne ur dörröppningen, där hon spärrade vägen.

— Stå inte där och dröm! Tevattnet kokar.

Hans bruna ögon tog in bilden i sällskapsrummet, och de blev förvånade och allvarliga. Han släppte Ann och gick fram till Rutger, som alltjämt lutade sig mot bordet liksom för att orka hålla sig upprätt.

— Hur är det med dig? Har du varit i slagsmål?

Först nu såg jag att Rutgers utseende verkligen tydde på något sådant. Hans vita skjorta var smutsig, och håret, som i vanliga fall var så oklanderligt välkammat, föll i mörka testar ner i pannan på honom. När han med en frånvarande gest försökte stryka undan dessa grep Einar med ett förskräckt utrop hans högra hand. Hela insidan var sönderskrapad och blodig, och Rutger stirrade på den med en halvt apatisk häpnad.

— Jag trillade ner för källartrappan, sade han, och hans röst var ännu en smula ostadig.

Einar tog upp en liten ficklampa, som Rutger hade lagt på

142

bordet. Den brann fortfarande. Rutger flyttade sig härvid ett par steg ut på golvet, och nu var det Pyttan, som spärrade upp ögonen med en min av yttersta avsmak.

— Vad... vad är det du har fått på byxorna? Det ser slemmigt och äckligt ut. *Vad* är det?

De ursprungligen vita byxorna såg onekligen motbjudande ut. De var inte bara smutsiga; här och där avtecknade sig också några underligt kletiga ränder och fläckar i en svagt brunskiftande färg.

— Jag skulle tro att det är såpa.

Rutger verkade redan betydligt lugnare, men jag undrade ändå en förfärlig sekund om han inte hade förlorat förståndet.

— Såpa??

Einar var tydligen lika konfunderad som jag.

— Ja.

Rutger gjorde en liten konstpaus och fortsatte därefter långsamt:

— *Någon hade såpat källartrappan.* Det är ett mycket raffinerat trick om man vill ta livet av folk. Trappan är nämligen ganska livsfarlig redan i opreparerat skick. Men jag hade dels en smula tur.. dels föll jag mjukt. Viveka hade gått i fällan före mig.

Och vänd till Einar upprepade han de fruktansvärda orden:

— Jag är rädd att hon är död. Jag vågade inte bära henne uppför trappan. Men om vi hjälps åt går det kanske.

Med fullständigt kritvita läppar viskade Ann:

— Jag bad henne vara försiktig. Jag bad henne...

Men ingen hörde på henne. Ingen hörde heller på Pyttan när hon bad Rutger att tvätta av den skadade handen innan han på nytt gav sig i väg till källaren. Rutger var otålig att få uträtta något, och han var också otålig för att inte Christer och överkonstapeln fanns tillhands just när de som bäst behövdes. Men lugnt och nästan omärkligt tog Einar ledningen.

— Någon av oss måste åka in och hämta dem. Vill du göra det, Pyttan?

Pyttan, som alltid var ärlig, sade att hon skulle föredra att få någon med sig. Och eftersom Carl Herman genast visade sig villig var detta lätt att ordna.

— Tag en ficklampa i köket, befallde Einar. Säg till konstapel Svensson, som finns någonstans nere på gräsplanen, att han sticker upp till källaren och väntar på oss där. Och skynda er själva så mycket ni kan!... Du Lil, kanske vill stanna här och ta hand om Ann? Och du ...

— Jag följer med er, bestämde jag hastigt.

— All right. Kom, Rutger, så går vi.

Einar tog vägen genom köket, där han i förbifarten hämtade en stor och kraftigt lysande ficklampa. Han räckte den lilla till Rutger och frågade:

— Ska det inte finnas en lampa till?

— Jo, vi har tre strålkastare, som alltid brukar ligga här. Min lilla har jag vanligen i fickan.

Men vi hittade ingen åt mig, och Einar tog mig i stället stadigt i handen. Han lämnade köksdörren på vid gavel bakom oss, men den varmt gula strimman av ljus, som därifrån sköt ut i mörkret, räckte inte långt. Ledda av de två ljuskäglorna, en större och en mindre, skyndade vi emellertid de tjugo meterna från stugan bort till uthuslängan. Åskan mullrade nästan oavbrutet, men inga blixtar lyste ens för en sekund upp det kompakta mörkret. Jag tyckte att det kändes som om åskmolnen hängde ända ner i trädtopparna; det var tryckande varmt och svårt att andas.

Källaren var nedsprängd i själva berget under uthusflygeln. Medan dörrarna till alla andra mer eller mindre hemliga rum och bodar i den långa, rödmålade byggnaden samtliga vette åt söder och alltså om dagen kunde siktas från både köksfönster och sällskapsrummet låg ingången till källaren på den västra gaveln utan insyn från de övriga husen. En ytterst brant trappa, som helt enkelt var uthuggen direkt ur berget, ledde ner till källarens nivå och avslutades med en liten plan förhall framför den bastanta trädörren. Jag erinrade mig med en olustig känsla i maggropen hur otäcka jag hade funnit de ojämna och skrovliga trappstegen till och med i fullt dagsljus; att falla med huvudet före nedför den trappan kunde inte betyda mer än en sak.

Trappans nedgång täcktes av två källarluckor, vilka nu båda stod uppfällda. Einar lade sig försiktigt på knä och lyste ner i djupet. Över hans axel såg jag något skymta där nere på golvet. I detta ögonblick svängde även konstapel Svensson, andfådd och förvirrad, runt uthusknuten, och sedan han i yttersta korthet blivit insatt i situationen beslöts det att Einar, som kände den farliga trappan bättre än konstapeln, skulle försöka ta sig ner och undersöka Viveka litet grundligare än Rutger i sitt omtöcknade tillstånd kunnat göra. Han stoppade den lilla lampan i fickan och kröp därefter baklänges nedåt. De två övriga männen lyste honom medan jag blundade och bad till Gud om beskydd för Eje och hjälp för oss alla. Och bönhörelsen kom både hastigare och rikare än jag vågat drömma.

Upp emot oss slog Einars röst. Den lät ivrig och upprörd:

— Jag tror nästan att hon lever.

Jag såg lampan i Rutgers hand skälva till, och konstapel Svensson ropade upphetsat:

— Vi måste försöka få upp henne.

Det visade sig nu vara betydligt lättare sagt än gjort. Einar rapporterade dels att Viveka var medvetslös, dels att han överallt trampade i glas från en krossad strålkastare — det var tydligen Viveka, som hade tagit den saknade lampan! De tre nedersta trappstegen var, så vitt han kunde finna, orörda medan de fem övre var synnerligen grundligt insmorda med såpa. De var helt enkelt omöjliga att stiga på med en tung börda i famnen. Slutligen tog emellertid Rutger spjärn emot en nedfälld källarlucka under det han med ena handen fattade ett fast tag i konstapel Svensson, som i sin tur lät sin kraftiga näve stödja Einar på hans vandring uppåt. Jag tänkte på Rutgers skadade hand och den kanske ännu mer skadade Viveka, och jag fick behärska mig för att de båda ljuskäglorna i mina händer skulle göra den nytta de var avsedda att göra.

För mina ögon tedde sig det viljelösa bylte Einar bar i famnen skrämmande blottat på allt liv. Det dröjde också oroväckande länge efter den stund då han lagt det på soffan i sällskapsrummet innan hans optimistiska tro att hon verkligen levde fick sin belöning. Och under mellantiden hade vi dystert hunnit konstatera dels förbannelsen i en isolering när det inträffar sjukdomar och olycksfall, dels att den konjak, som kanske kunde ha gjort nytta, fortfarande befann sig i säkert förvar i källaren. Rutger erbjöd sig rent av att försöka hämta den, vilket jag nästan ansåg som veckans dittills mest heroiska tanke. Men Ann fick på denna punkt i utvecklingen en hysterisk gråtattack, som endast stegrades när Viveka äntligen slog upp ögonen. Einar bar med milt våld in Ann i sovrummet, skickade in Lil som vårdarinna och stängde demonstrativt dörren.

Själv kan jag inte skryta med att jag gjorde någon nytta; jag låg mest på knä vid soffan och strök Viveka över den smutsiga pannan. De blå ögonen såg på mig med värme och tacksamhet, och jag visste att om hon dog för oss var jag beredd att med egna händer gå ut och strypa mördaren.

Den rödblommige konstapeln, som jag tidigare bedömt som både oerfaren och en smula tafatt, visade sig nu besitta en inte föraktlig kunskap om hur man handskas med människor, som till hälften slagit ihjäl sig i branta källartrappor. Han klämde och kände på Viveka ytterst sakkunnigt och uttalade därefter som sin åsikt att hon knappast hade brutit några ben eller armar; däremot var den ena foten säkert ur led, och hon hade fått svåra skråmor och svullnader både i ansiktet och på armarna. Och med sänkt röst påpekade han för Einar att det kunde vara inre skador, som vi inte visste något om, och att han ansåg det absolut nödvändigt att tillkalla en läkare hur besvärliga kommunikationsmöjligheterna än var.

Men Viveka som började återfå krafterna, sade på det allra bestämdaste ifrån att det inte skulle trasslas med några läkare mitt i natten för hennes skull.

— Foten är säkert bara stukad, och *om* den skulle vara vrickad är det tids nog att hämta hit en kvacksalvare i morgon.

Hon övertygade oss till slut om att det inte var något allvarligare fel med henne, och konstapeln mumlade någonting om änglavakt.

Viveka grep min hand och betraktade mig bönfallande.

— Tala om för mig vad det är som har hänt. Gick jag och stod på huvudet nerför källartrappan? Ja, ni ska inte räkna med mig; jag har alltid haft en enastående förmåga att råka ut för sådana där små olyckor. Ann varnade mig faktiskt när jag tog ficklampan, så jag försökte nog gå försiktigt, men det lyckades tydligen inte.

Vi såg på varandra, men ingen av oss tyckte att det var särskilt lämpligt att börja tala om såpa och mordförsök, varför vi i stället ägnade oss åt att tvätta rent hennes skråmor och lägga bandage om foten. Eftersom hon påstod att hon ville ligga i sitt eget rum bar Einar dit henne, och jag hjälpte henne i säng och gav henne de två sömntabletter hon begärde. Jag stannade tills jag såg henne domna bort, och när jag gick tillbaka upp till stugan mindes jag hennes egen olycksprofetia på morgonen. Hon hade sannerligen fått en bedrövlig måndag!

Konstapel Svensson och Rutger, som hade fått handen ombunden, samtalade i sällskapsrummet, men inifrån biblioteket vinkade Einar på mig, och vi drog oss undan dit.

Det var ofattbart att det bara var tre dygn sedan vi konspirerat härinne samma kväll, som Marianne hade dött. Sedan dess hade mördaren hunnit med ytterligare ett mord samt ett kusligt mordförsök. Jag tog blicken från den fascinerande lilla Eros-statyetten och frågade:

— Kan du se någon som helst mening i det hela? Varför skulle någon vilja gillra en fälla åt Viveka, som är den harmlösaste och riktigaste av oss?

Einar tog pipan ur munnen.

— Är du så säker på att fällan var avsedd för Viveka?

Jag stirrade på honom under tystnad. Och sedan hade jag en kväljande förnimmelse av att golvet gav vika under mina fötter.

— Du har rätt. Det var väldigt ovanligt att Viveka gick ett ärende till källaren. Det brukar ju Rutger göra. Eller Ann...

— Har du någonsin sett Ann gå ner i källaren sedan det blivit mörkt? frågade Einar torrt.

— Neej... Men Eje, då kan det ju inte vara Rutger som är mördaren!

Den oerhörda lättnad jag kände avslöjade för mig hur påverkad även jag hunnit bli av Rutgers personlighet. Men Einars blick var tankfull.

— Det finns en annan möjlighet fast jag avskyr att påpeka den. Om det var Rutger, som såpade trappan, är det naturligt att han väntade tills någon annan erbjöd sig att gå. Sedan vet vi ju inte om han lyckades fånga rätt person...

— Fy! Alltihop blir avskyvärdare ju mer man tänker på det.

— Vi låter bli att tänka då. Det blir Christers jobb när han kommer. Kom och sätt dig här...

Pyttan och Carl Herman måtte ha rekordkört, för det dröjde inte länge förrän vi uppfångade ljudet av den smattrande motorbåten. Den styrde tydligen in mot badbryggan, och Rutger, som mitt uppe i mord och bedrövelse ändå alltid hade känsla för sina älskade båtar, rusade ut i mörkret vilt hojtande att de inte fick lägga till där. Men han blev av allt att döma inte åtlydd. Några minuter senare trädde nämligen en långbent och trygg Christer in i sällskapsrummet tätt följd av den fryntlige överkonstapeln. Man kunde inte se på någon av dem att klockan närmade sig tolv och att de hade en tröttsam dag bakom sig.

Jag upptäckte plötsligt att jag var hungrig, och medan herrarna gick ut för att omedelbart undersöka källartrappan dukade jag fram te och de smörgåsar Ann för länge sedan utlovat. Einar kom tillbaka medförande den mångomtalade konjaken, och Christer, som var på sitt mest effektiva humör, föste in både honom och poliserna i biblioteket, där han vördsamt anhöll att de måtte få sitt te i förnäm avskildhet. Jag uppsnappade under det att jag serverade att han lät både konstapeln och Einar avge ytterst minutiösa rapporter angående kvällens tilldragelser.

Pyttan och jag diskade — för vilken gång i ordningen visste vi inte längre. Men mitt i silvret kom konstapel Svensson och hämtade mig.

Carl Herman, Lil och Rutger såg underligt på mig när jag passerade genom rummet. Einar smålog uppmuntrande, och konstapel Svensson öppnade artigt dörren in till biblioteket, samt stängde den lika artigt efter mig. Jag stannade, förvirrad av den högtidliga atmosfären, som slog emot mig. Bakom det stora skrivbordet vid fönstret satt överkonstapel Berggren, och han var ostentativt beväpnad med annotationsblock och penna. Christer hade placerat sin gängliga lekamen i en djup skinnklädd fåtölj, och nu gjorde han ett tecken åt mig att sjunka ner mitt emot honom.

— Överkonstapeln har bett mig leka förhörsledare, sade han skämtsamt, men de högblå ögonen motsade tonfallet.

Jag förstod helt plötsligt vilken välsignelse det varit att Christer tidigare skött det hela så samtalsmässigt och informellt. På något sätt fick allt det som hänt större och mer skrämmande proportioner bara därför att man påmindes om att dessa två män representerade Lagen och Samhället — två begrepp, mot vilka någon ibland oss på ett fruktansvärt vis hade förbrutit sig.

Jag berättade och svarade på frågor, och det framgick att Ejes och mina uppgifter till punkt och pricka stämde överens. Jag trodde att vi kommit in till det bridgespelande sällskapet strax efter tio; Einar — som ägde en klocka — var naturligtvis mer korrekt: 10.05. Slutspelet hade kanske tagit sju—åtta minuter, och vi ansåg båda att Rutger avlägsnat sig cirka tio minuter efter vår ankomst.

Christer nickade till tecken att jag fick gå, och jag reste mig med en blick på Leo Berggren, som tycktes svettas svårt över sina anteckningar. Och så sade jag alldeles spontant:

— Kan jag inte hjälpa överkonstapeln med det här. Jag kan stenografera och ...

Berggrens tacksamma leende övertygade mig om att jag inte varit påflugen. Jag drog alltså fram en stol till kortändan av skrivbordet och väntade på att börja min bana som polissekreterare.

Det är faktiskt sant att jag inte förrän efteråt förstod hur fördelaktig min ställning härigenom blev. Just när dramat nalkades sin upplösning fick jag en chans att följa alltsammans inifrån, och om jag inte löste problemet lika snabbt som Christer berodde det enbart på att mina fattningsgåvor inte var lika lysande som hans.

Nu följde det ena förhöret efter det andra. Det var övervägande vittnenas uppgifter och likgiltiga svar. Emellanåt utväxlades dock även repliker, som tycktes mig betydelsefulla och överraskande ...

Första scenen: Christer och Pyttan, som inte alls försökte dölja att hon fann alltsammans kolossalt spännande.

— Jag vill gärna ha några tidsuppgifter om du kan ge mig dem. Jag var ju med om början av middagen vid halvsextiden. Men sedan kom konstapel Svensson instormande och berättade att de hade funnit Marianne, och jag gav mig i väg. Vet du när ni reste er från middagsbordet?

— Nästan omedelbart. Du tror väl inte att det var någon som ville äta sedan vi hade fått reda på det? Dessutom fick ju Viveka ett gråtanfall inför blotta tanken att behöva gå ner och identifiera henne.

— Vem var det som påstod att hon skulle få lov att göra det?

— Jag tror det var Lil.

— Det viktigaste i det här sammanhanget är om du kan säga när ni sista gången var nere i källaren efter middagen. Ni bär väl dit mjölk och matrester och sådant efter måltiderna?

— Ja. Jag var dit ett par gånger efter middagen. Och sedan när vi var alldeles klara med disk och allt bad Ann att jag skulle gå ner och hämta upp smör och smörgåsmat till kvällen så att vi skulle slippa göra det när det hade blivit mörkt. Då var klockan halv åtta, det vet jag säkert för jag gick just som det var slut på dagens eko.

— Och då märkte du inget ovanligt med trappstegen?

— Nej, inte alls.

— Vad gjorde du mellan halv åtta och tio?

— Skjutsade dig och andra karlar fram och tillbaka i motorbåt.

— Det är riktigt! — Kan du säga mig var såpan finns förvarad?

— I skåpet under diskbänken i köket. Men en del ligger säkert i källaren.

— Tack, det är bra! Vill du skicka in Carl Herman.

Christer tände en cigarrett och upplyste mig om att det var det stora såppaketet i källaren, som hade brandskattats, det hade Berggren konstaterat redan vid en förberedande undersökning av källaren.

Andra scenen. Christer och en blek men lugn Carl Herman.

— När kom du tillbaka till stugan efter det att du hade varit nere vid stranden och fullgjort ditt obehagliga värv att titta på Mariannes kvarlevor?

— Omkring klockan åtta skulle jag tro. Jag mötte Pyttan ungefär mitt på vägen.

— Vad gjorde du mellan åtta och tio?

— Jag drack först en ordentlig konjak och sedan . . .

— Stopp ett tag! Fanns konjaken uppe eller hämtade du den i källaren?

— Det fanns en halv butelj i spritskåpet här uppe. Så det räckte. Ja, sedan pratade jag litet med Ann, som satt ensam och lyssnade på radio. Det var någon pjäs hon tänkte höra . . .

— Var hon sig lik?

— Så vitt jag kunde se: ja. Hon tyckte det var otäckt med Marianne, men jag var inte särskilt upplagd att berätta om det, så jag gick in på mitt rum och lade mig en stund. Ärligt talat så ville jag helst kräkas.

— När började ni spela bridge?

— Lil kom och knackade på min dörr strax före nio och sade att hon och Rutger kommit överens om att de måste sysselsätta tankarna med något annat än mord.

— Vem var det som föreslog att Viveka skulle gå ner och hämta konjaken?

— Jag vet inte säkert. Rutger talade nog om att gå när han

150

slog i det sista ur den butelj vi hade uppe. Men sedan tror jag att det var Viveka själv, som erbjöd sig att göra det när Rutger nästa gång fick spelet ...

Tredje scenen. Christer och en nysminkad och bländande Lil. Jag började känna mig otrevligt trött och glåmig, men hon såg ut som om klockan ett på natten var hennes vackraste tid.

— Var så god och sitt. Konstapel Svensson kan vänta på andra sidan dörren, det är mig du ska intressera dig för nu ... Vad gjorde du mellan klockan halv åtta och tio?

— Rutger och jag tog oss en promenad. Upp på Utsiktsberget.

— Jag varnar dig Lil ...

— Men, *rara* Christer, nu är du orättvis. Vad är det för glädje med att hålla sig till sanningen när ändå ingen tror på en? Vi *var* verkligen på Utsiktsberget. Vi gick strax efter sju och kom tillbaka en kvart i nio. Då började det mörkna, så vi beslöt att spela bridge.

— Du och Carl Herman spelade mot Viveka och Rutger?

— Mm, tyvärr. Carl Herman är verkligen ...

— Varför var inte Ann med?

— Hon ville inte. Jag tror förresten inte att Viveka och Carl Herman var så vidare pigga de heller.

— Vem föreslog att Viveka skulle gå ut efter konjaken?

— Rutger grymtade över att spriten var slut. Och Ann ropade från köket att han antingen fick gå ner i källaren själv eller leka "kom med här i logen hos oss", för hon tänkte inte gå ut i åskvädret. Rutger lovade att gå så snart han kom loss, men så gick hans begär igenom, och han måste sköta spelet. Som vanligt ...

— Som vanligt. Vad menar du med det?

— Åh, han spelade kolossalt djärvt och med höga begär hela tiden. Så det var just ingen annan, som kom fram och fick spela.

— Har du den uppfattningen att han därigenom ordnade så att han inte kunde lämna bordet? För att slutligen tvinga någon annan att gå i hans ställe?

— Du är alldeles för spekulativt lagd, Christer. Det kan aldrig vara nyttigt.

— Du ska ha tack för din stora hjälpsamhet. Hur skulle vi klara oss utan den?

Fjärde scenen. Christer och Rutger, som med mycket illa dold motvilja betraktade vår ockupation av hans bibliotek. Han hade bytt både skjorta och byxor. Ögonen föreföll trötta men vaksamma.

— Vill du vara vänlig och redogöra för vad du hade för dig mellan halv åtta och tio?

— Jag gick en liten tur med Lil upp till Utsiktsberget. Vi startade någon gång efter sju och var tillbaka just som radiopjäsen slutade en kvart i nio.

— Hur länge var ni uppe på berget?

— En halvtimme åtminstone. Vi såg motorbåten köra in till Uvfallet med en massa folk några minuter över åtta.

Christer och överkonstapeln växlade en blick, som sade att Rutger här hade kommit med en uppgift av ett visst intresse. Berggren nickade sakta.

— Såg du till någon av de andra när ni återvände en kvart i nio?

— Ann satt i sällskapsrummet och lyssnade på pjäsen. Men Carl Herman och Viveka fick Lil hämta på deras rum.

— Du gick inte ner till källaren innan ni började spela?

— Nej, jag frågade Ann om hon ville ha upp kvällsmaten men hon sa att Pyttan redan hade hämtat vad som behövdes. Och jag trodde att vi hade tillräckligt med sprit i barskåpet — det var tyvärr ett ödesdigert misstag.

— Spelade ni sedan oavbrutet kort från klockan nio till tio?

— Ja visst.

— Viveka var ju din partner? Spelade ni hela tiden tillsammans?

— Ja, vi hann aldrig byta.

— I bridge är det ju så att partnern till den som för tillfället "har spelet", lägger upp sina kort och själv sitter passiv. Är det vanligt att den, som på det sättet "vilar sig" en stund, lämnar bordet?

— Å ja, i synnerhet om spelet har pågått länge.

— Var det någon som avlägsnade sig innan Viveka gick ut?

— Nej.

— Är du säker på det?

— Absolut.

— Vem satt oftast passiv under den där timman?

— Carl Herman en gång och Viveka tre gånger, vill jag minnas.

— Varför hade du så ofta spelet?

Rutger började se desperat ut. Men han behärskade sig och svarade korrekt och uttryckslöst även på frågor, som i mina öron lät alldeles meningslösa.

— Möjligen därför att de andra begärde så dåligt. Carl Herman kan egentligen inte alls spela bridge, och han gav inte Lil något som helst stöd. Och Viveka tog aldrig några initiativ; hon tycktes ha sina tankar på annat håll.

— Viveka var ute när Puck och Eje kom hem klockan 10.05. Hade hon varit borta länge då?

— Nej, på sin höjd fem minuter.

— Hur länge anser du att hon hade varit frånvarande när du beslöt dig för att gå efter henne?

— Kanske femton minuter sammanlagt.

— Tyckte du inte det var en lång tid? Undrade du inte vad hon hade för sig?

— Neej. Jag tog för givet att hon passade på att gå på ett annat litet ställe samtidigt.

— Så du blev inte förvånad när hon erbjöd sig att gå till källaren?

— Hon ville gärna själv ha mer konjak, och då tyckte jag hon kunde kila när hon ändå var ledig.

— Du måste väl ha varit medveten om att den där trappan var livsfarlig redan i naturligt tillstånd?

— Naturligtvis var jag det. Vi har talat om att göra om den ända sedan den byggdes. Men det är en besvärlig apparat att få hit arbetare till sådant och så har det inte blivit av. Fast Ann har ju nästan skaffat sig komplex beträffande den där källaren ...

— På tal om det: var fanns Ann under den timma ni spelade?

— I början tittade hon på oss. Sedan försvann hon ut i köket ... För tusan, du vill väl inte insinuera —

— Jag insinuerar ingenting. Bara en fråga till. Av Pucks berättelse har jag trott mig förstå att du gick ut stora vägen, alltså ut mot gräsplanen, och kom in samma väg. Varför tog du inte vägen genom köket, som ju måste vara betydligt kortare?

— Varför har man sina små vanor och ovanor? Jag går mycket sällan genom köket.

— Tack, det är nog för i natt. Tror du att Ann är vaken, så att

153

vi kan få kontrollera hennes uppgifter medan vi är i farten?

Femte scenen. Christer och Ann, iförd en kornblå, fotsid morgonrock, och absolut vit i ansiktet. Ögonen bar fortfarande spår efter det häftiga gråtanfallet, och hon öppnade och knäppte händerna i knäet.

— Vi ville gärna veta när du var i källaren sista gången?

Hennes läppar darrade, och hon svarade med så låg röst att jag fick böja mig fram för att uppfatta vad hon sade.

— I förmiddags.

— Inte efter middagen?

— Nej, då hjälpte Pyttan mig.

— Vad gjorde du mellan halv åtta och tio?

— Jag satte mig i sällskapsrummet när jag slutat diska. Det var en pjäs jag ville höra, som började klockan åtta.

— Vad för slags pjäs?

— Det var en engelsk enaktare med Olof Widgren. Jag ... jag har alltid tyckt så mycket om honom.

— Före klockan åtta, då?

— Det var gammal dansmusik. Jag satt i soffan och stickade.

— Var höll de andra hus?

— Pyttan hade gått ner för att köra motorbåten. Rutger och Lil sa att de skulle ta en promenad. Och Viveka låg väl på sitt rum ...

— Låg? Varför det?

— Hon fick någon sorts kollaps när hon fick veta att man hade funnit Marianne. Och jag kände mig ungefär likadan. De här dagarna har varit en smula prövande ... Men hon behärskade sig snart, och så hällde vi i henne litet konjak och skickade in henne att lägga sig. Det brukar vara bäst att få vara ensam.

— Carl Herman då?

— Han kom in strax före åtta och såg ut som om han hade varit sjösjuk. Jag rådde honom att ta en ordentlig konjak, och vi pratade några minuter. Men så frågade han om jag hade något emot att höra pjäsen ensam, och jag såg nog att han också behövde inta sängläge, så jag skickade i väg honom.

— Satt du kvar i soffan under hela pjäsen? Du gick inte ut? Eller flyttade på dig?

— Neej.

— Soffan står ju mellan de båda fönstren? Kunde du se uthuslängan från din plats?

— Nej, jag vände ju ryggen utåt.

— Stod fönstren öppna?

— Ja, det gör de nästan alltid.

— Och du hörde ingenting?

— Ingenting annat än Lil och Rutger när de kom tillbaka. Men då var pjäsen just slut.

— Var du utomhus någon gång mellan nio och tio?

— Nej, jag var i köket och bredde smörgåsar.

— Såg du Viveka gå ut?

— Ja, och jag bad henne vara försiktig . . .

Anns ögon fylldes på nytt med tårar, och Christer, som tydligen fruktade ett tredje nervsammanbrott vid denna sena timma, reste sig hastigt och ledsagade henne till dörren.

— Seså, gå nu och lägg dig och säg åt de andra att göra detsamma. Och försök att sova litet!

Han stängde efter henne och vände sig därefter med en lätt suck mot oss.

— Nå, vad får ni ut av det här? Vem strök ordentligt och metodiskt såpa på de fem översta trappstegen någon gång mellan halv åtta och tio?

— Om Lil och Rutger talar sanning . . .

— Har du lagt märke till, anmärkte Christer trött, att allt vårt resonemang blir synnerligen hypotetiskt när vi kommer in på det herrskapet? Nej, vi får nog anse deras alibin för mycket osäkra.

Leo Berggrens gemytliga nuna var lagd i djupa och tankfulla veck.

— Hans uppgift om motorbåten var fullt korrekt, men han kan ju ha hunnit vandra fram och tillbaka till Utsiktsberget och ändå fiffla med källartrappan . . .

— Viveka är ju ur räkningen, och skönt är det, fortsatte jag. Fast det är kusligt att det nästan skulle kosta henne livet . . . Och Carl Herman talar numera sanning, det kan en barnunge se på honom. Men Ann . . .

Christer nickade långsamt.

— Ja, hon hade både kunskap om hur farlig trappan var och de bästa tänkbara tillfällen att gillra fällan. Hon hade sett först Viveka och sedan Carl Herman vittja konjaksflaskan och visste att det säkert skulle komma att behövas påfyllning. Men det är en tanke, som jag inte tycker om att tänka. För hon måste också bättre än någon annan ha vetat vem som brukade gå sådana ärenden på kvällarna ...

Det var mycket tyst i det lilla biblioteket. Och jag viskade med stela läppar:

— Nej ... Det kan inte vara sant. Det är ju vansinnigt ...

Överkonstapel Berggren reste sig tungt.

— Ja? sade han halvt frågande. Kanske är det just däri vi har att söka förklaringen ... En normal individ kan naturligtvis begå *ett* mord om hon känner sig hårt pressad och de brutala instinkterna tar överhand. Men ett andra och ett tredje? Jag börjar bli rädd att den vi letar efter är en mycket lite normal människa.

Trettonde kapitlet

Lil satt vid toalettbordet och borstade energiskt sitt röda hår när jag vaknade på tisdagsmorgonen. Hon nickade åt mig i spegeln och sade uppmuntrande:

— Det öser ner. Som i en bättre roman, du vet. Naturen deltar i våra känslor.

Jag kände mig för min del som om jag haft sand i ögonen. Och jag satte mig endast ovilligt upp.

Lil valde bland mängden av klänningar och kjolar men bestämde sig till sist för gröna manchestersammetsbyxor och en gräddfärgad, höghalsad sweater.

— Det är bäst att klä sig sedesamt. Ridån går upp för sista akten.

— Ja, om det bara vore så väl, genmälde jag trött och morgonsurt. Och om vi slapp att spela med...

Vi avbröts av upprepade knackningar i väggen.

— Det är Viveka. Spring du, som har någonting på dig!

Hon återvände nästan genast för att hämta en regnkappa. Viveka hade svår värk i foten, och vi måste nödvändigt skaffa hit en läkare. Lil rusade ut i vätan, och jag avverkade hastigt tvättning, kamning och bäddning. Röda långbyxor, vit yllekofta och regnkappa — och därpå en ny knackning, denna gång på dörren. Det var Christer, som bad mig följa med upp till stugan, där han hade en myckenhet arbete åt mig. Jag mumlade något om Viveka, men han lugnade mig med att han just hade varit hos henne dels för att ställa några frågor angående gårdagen, dels för att ge henne ett par smärtstillande tabletter, som överkonstapeln till all lycka hade gått och burit på sig. Einar hade trotsat vädret och kört in till Forshyttan för att alarmera läkaren i Skoga.

— Fick du veta något av intresse? frågade jag medan vi halvspringande försökte rädda oss undan blåsten och skyfallet.

— Nej, hon bekräftade bara vad de andra hade sagt och för-

157

modade när hon fick höra om den såpade trappan att fällan måste ha varit avsedd för någon annan. Hon visste ingenting om de båda morden, som kunde göra henne farlig för mördaren, och hon trodde inte att hon hade några fiender här.

— Tror du inte, föreslog jag tveksamt, att hon kanske vet något om Mariannes och ... och Rutgers förflutna, som kunde innebära en sådan fara för henne. Till exempel något om anledningen till att de skildes?

— Jag ansatte henne på den punkten när jag förhörde henne i går eftermiddag, och jag skulle inte bli förvånad om hon dolde något i det sammanhanget, men det säger hon i så fall inte.

Vi kom in i sällskapsrummet drypande våta. Rutger eldade redan en brasa i den öppna spisen, och från köket trängde aptitretande dofter av ägg och bräckt skinka. Christer bad mig att snabbt svälja en portion och därefter komma in till honom i biblioteket; själv hade han redan ätit.

Jag gjorde som han önskade, och efter en stund satt jag alltså bekvämt placerad i en av de djupa biblioteksfåtöljerna med Christer mitt emot mig och överkonstapel Berggren vandrande fram och tillbaka framför mig. Christer sade med ett småleende att jag kunde lägga stenogramblocket åt sidan; jag skulle under de närmaste timmarna inte vara sekreterare utan vittne.

— Vi var lite misstänksamma mot dig i början, men det hoppas jag du har förlåtit oss. Förresten har vi visst inte talat om för dig att Mariannes lik visade tydliga spår av att hon hade blivit strypt innan hon blev slängd i sjön. Och det är inte bara den detaljen, som har övertygat mig om att du är en god iakttagare. Du är dessutom en bättre psykolog än Eje, och du tycks ha ett gott minne. Och därför ber jag dig nu att du försöker erinra dig allt som har hänt här på Ön sedan du kom hit. När jag säger allt så menar jag också *allt*. Tag god tid på dig och berätta in i minsta detalj vad du har tyckt dig lägga märke till och ansträng dig framför allt att referera alla uttalanden, som du tror kan kasta det avlägsnaste lilla ljus över de karaktärer vi har att göra med. Jag ska inte dölja för dig att jag väntar mig rätt mycket av en sådan sammanhängande berättelse.

Och aldrig har jag väl haft mer uppmärksamma åhörare. Medan regnet fortfor att skvala som en ridå nedför fönsterrutorna och Christer omvärvde oss med allt tjockare tobaksmoln redogjorde jag för den senaste veckans tilldragelser i stort som smått. Christer var helt naturligt mest intresserad av våra förehavanden före hans egen ankomst på lördagen. Jag fick referera varje ord som yttrats efter Mariannes och Vivekas uppdykande i skogen, och jag blev ombedd att särskilt noga försöka rekapitulera var och en av Jojjes repliker — jag upptäckte emellertid att de inte varit så många. När jag äntligen slutade tyckte jag att jag vrängt ut och in på mig, och jag kunde med gott samvete säga de båda männen att de nu satt inne med allt det vetande jag själv ägde.

Och jag frågade alldeles som Christer tolv timmar tidigare:

— Nå, vad får ni ut av det här?

— Inte så mycket, sade överkonstapeln nedslaget, annat än en känsla av att början till det här dramat är att söka någonstans i det förflutna. Atmosfären var laddad redan förut, och fröken Wallmans oväntade entré på scenen medförde bara den logiska urladdningen.

Christer rynkade begrundande ögonbrynen.

— Ibland tycker jag att jag skymtar sammanhanget, men så är det något som viker undan just när man vill gripa det. Det finns en hemlighet någonstans, men jag är inte människa att begripa vad den rör sig om eller varför den har lett fram till två mord och ett mordförsök ...

Pyttan knackade diskret på dörren och undrade om vi ville ha kaffe, och sedan Christer stärkt sig med fem koppar svart sådant var han redo för nästa omgång. Och jag läste i de hårdnande linjerna i hans ansikte att detta var den sista chans han tänkte ge Lil.

Hon gled in i biblioteket med en cigarrett mellan de vackert målade läpparna och kurade ihop sig i fåtöljen som en kelen kattunge. Men Christer använde den här gången det grova artilleriet.

— Jag ger dig ett sista tillfälle att avge ett sanningsenligt vittnesmål, Lil. Allt vad du säger antecknas och kan komma att användas emot dig i rätten. Och jag vill säga dig en sak. Om du inte omedelbart överger din attityd att försöka blanda bort korten för polisen kommer jag i morgon att ge tidningarna hela historien om din obesvarade kärlek till Rutger Hammar, om ditt ingripande i George Malms liv, som förde honom till en för tidig

159

död, om ...

— Du är en usling, Christer, och jag vet att du skulle vara kompetent att göra det.

De gula ögonen gnistrade, men stöten hade gått direkt in, och hon var orolig nu under den spotska ytan.

— Vi vet redan det mesta, och det lönar sig inte längre för dig att försöka bluffa. Du får en minuts betänketid ...

— Tack, men det är överflödigt. Du ger mig knappast något val. För övrigt har jag inte fullt så många lögner att ta tillbaka som du tycks tro.

Christer gjorde ett tecken åt mig, bjöd Lil en ny cigarrett och öppnade frågeelden.

— Hur länge har du och Rutger känt varandra?

— Två år ungefär.

— Du sågs mycket tillsammans med honom vid den tid då det blev slut mellan honom och Marianne. Vad vet du om den händelsen?

— Ingenting ... Det är verkligen sant, Christer! Han talade inte om mer för mig än för någon annan.

— Men du misstänkte väl något?

— Ja, jag tror att Marianne hade bedragit honom och att det var det han upptäckte.

— Kan det inte ha varit tvärtom?

Tanken var tydligen ny för henne. Hon satte sig i häpenheten rakt upp i stolen, och det kom ett förbryllat och misstänksamt uttryck i de gulbruna.

— Nej, det kan jag inte tänka mig ...

— Han hade alltså inte varit otrogen med till exempel dig?

Hon stirrade mållös på Christer, och därefter lade hon upp ett pärlande glatt skratt.

— Christer, my darling, du är verkligen fantasifull! Inbillar du dig att han skulle ha sett åt mig så länge han ägde Marianne?

— Du menar att det var först efteråt som han höll till godo med dig?

Jag höll andan och väntade på Lils raseriutbrott. Men hon endast ryckte en smula på axlarna.

— Du är mycket älskvärd! Men strängt taget har du rätt. Han "höll till godo med mig" i brist på den som var bättre.

— Har ni haft ett regelbundet förhållande?

— Inte alls. Han kom till mig ett par tre gånger, det var allt.

— Var det i vintras? Efter hans giftermål med Ann?

— Eftersom du envisas: ja. Men han var aldrig kär i mig.

— Är det din uppfattning att han fortfarande älskar Marianne?

— Naturligtvis, det kunde vem som helst se när hon dök upp här igen.

— Vill du nu vara vänlig och skildra dina förehavanden de senaste dagarna. Du anlände i onsdags kväll ... Hur ofta har du träffat Rutger ensam?

— Vi tog en promenad när de andra gick till sängs på onsdagskvällen. Vi hamnade nere vid båthamnen, och Rutger föreslog en roddtur. Det var en ljuvlig kväll ... Men Rutger var reserverad och verkade en aning nervös, tyckte jag. Vi var tillbaka någon gång vid tvåtiden ... På torsdagen kom Marianne, och en stund efteråt frågade han själv om jag ville gå med honom upp på Utsiktsberget. Det var första gången vi var där. Men då blev vi osams därför att jag råkade ta upp ämnet Marianne. Han rusade ifrån mig, och jag surade hela kvällen.

— Och hur var det med de kritiska timmarna på fredagen?

— Det har jag redan talat om. Rutger försvann strax efter tolv, och jag såg på honom att han var ruskigt uppriven och nervös, så jag beslöt att försöka få tag på honom. Jag nästan sprang ner till båthamnen, men där fanns han inte. Ekan var borta, så jag rodde ut ett tag i roddbåten.

— Kan du svära på att ekan var borta?

— Ja.

— Hur länge var du på sjön?

— Mellan ett och två ungefär.

— Just när mordet bör ha begåtts alltså. Det skulle kunna förklara varför mördaren inte rodde ut och dränkte liket genast ... Och sedan gick du tillbaka och träffade Carl Herman?

— Ja. Han var svartsjuk på Rutger. Vi grälade. Jag lämnade honom och gick upp på Utsiktsberget.

— Du såg inte till Rutger någonstans?

— Nej.

— Var du ute något på natten?

— Nej.

— Men under söndagsnatten då Jojje blev mördad var du

161

visst ute och sprang hela tiden?

— Åja. Till klockan halv fem.

— Du försökte få tag på Rutger? Varför?... Därför att du trodde — och alltjämt tror — att det är han, som har mördat Marianne?

— Jag är väl ändå inte skyldig att svara på *vilka* frågor som helst?

— Du såg alltså mig nere vid båthamnen. När?

— Vid halvettdraget ungefär. Jag gömde mig bakom en gran.

— Varför ville du inte att jag skulle få se dig?

— Jag vet inte. Jag blev rädd.

— Du ville att jag skulle få tro att Rutger var tillsammans med dig, eller hur? Vad jag emellertid inte alls förstår är att du sedan gick upp och kastade dig i armarna på Carl Herman. Var det nödvändigt, det?

— Jag har sällskapat med Carl Herman i ett par års tid. Han råkar vara kär i mig, och jag hade varit otäck mot honom i flera dagar. Jag var ensam och ledsen och rädd. Och arg på Rutger... Herre Gud, Christer, vad du är *dum!*

Hon såg verkligen mycket liten och ensam ut i den stora stolen, och för första gången kom jag på mig själv med att sitta och tycka synd om Lil. Hon tycktes vara ordentligt tokig i Rutger medan han bara använde henne någon gång när det behagade honom och för övrigt nonchalerade henne. Märkvärdigt att en sådan kvinna som Lil fann sig i det, men från Rutgers sida fick visst många finna sig i åtskilligt.

Christer rodnade faktiskt, och i hans tonfall låg den ursäkt han inte kom sig för att klämma fram i ord.

— Nå ja, huvudsaken är ju att du kan intyga att Jojje levde så sent som halv fyra. För det kan du ju?

— Ja visst. Han kom smygande runt knuten just när Carl Herman hade gått in. Han hörde troligen våra röster och ville se vilka det var. Jag frågade förstås varför han var ute och spökade — ensam! — så sent, och han sa att han väntade på någon och eftersom han hade väntat så länge tänkte han hålla ut ett par timmar till. Så jag gick ensam upp på Utsiktsberget, och där smet jag för dig för andra gången...

— Du tycker mycket illa om mig?

— Mm. Du är så misstänksam. Och så omänsklig... Jag var

tillbaka halv fem. Och då låste jag dörren. Jag tyckte inte om allt ditt snokande.

— Tack, det räcker för i dag. För jag antar att ditt vittnesbörd i natt var sanningsenligt?

— Ja. Ja, det vill säga ...

De såg länge på varandra. Så gjorde hon en hjälplös rörelse med sin smala hand.

— Jag tror att du hypnotiserar mig, Christer Wijk. Du har rätt. Rutger och jag var ute och promenerade till en kvart i nio. Men vad han gjorde från det ögonblicket till klockan nio vet jag inte. Då satt jag inne hos Carl Herman.

Christer reste sig och hjälpte henne nästan vördnadsfullt upp ur stolen. Och jag förstod honom. Den bild vi under den senaste halvtimmen hade fått av Lil Arosander var värd respekt. Hon hade kämpat i det längsta för att rädda den man hon älskade trots att hon knappast kunde vänta sig att han skulle visa henne någon tacksamhet. Och hon hade låtit Christer andligen klä av henne utan att visa hur förödmjukad hon måste känna sig. Det var mer tåga i henne än jag föreställt mig, och jag mindes med en sorts skamsenhet att jag för en stund sedan hade blivit kallad en god psykolog.

Christer var allvarlig och frånvarande. Berggren trummade sakta på bordsskivan och jag koncentrerade mig på mina anteckningar. Slutligen reste sig Christer med en tung suck.

— Cirkeln sluter sig, sade han sakta. Det finns snart inte många kvar att misstänka.

Han öppnade dörren och vände sig till konstapel Svensson, som tydligen väntat på detta tecken.

— För in fru Hammar.

Jag hade tyckt att Ann såg förstörd ut när hon satt i samma fåtölj föregående natt, men det var ett intet mot vad hon gjorde i det grå dagsljuset. Läpparna, som säkert föreföll ännu mer färglösa än de var därför att hon i motsats till Lil var fullständigt omålad, ryckte nervöst, hon hade djupa skuggor under ögonen, till och med det ljusa håret var utan liv och glans. Jag kunde nästan svära på att hon hade magrat flera kilo de senaste dygnen: den marinblå klänningen, som jag mindes från lördagen, gjorde inte längre samma eleganta och välvårdade intryck som då. Det behövdes verkligen ingen psykologisk blick för att märka att Ann-

Sofi Hammar var den av oss, som var närmast ett totalt sammanbrott. Om det berodde på att hennes nerver var ömtåligare än de övrigas eller på andra orsaker vågade jag emellertid inte bedöma. Kanske skulle det förhör som Christer just nu samlade sig till, avgöra frågan.

— Kära Ann, det här blir en obehaglig stund för oss båda, men vi har nu kommit därhän att de obehagen inte går att undvika. Vill du kanske själv lätta ditt hjärta, så slipper jag fråga?

— Jag... jag förstår inte vad du menar.

— Du tvingar mig att påpeka att du inte har skymten till alibi för något av de tre mordtillfällena. Och om mordet på Marianne — som vi förmodar — var ett utslag av svartsjuka hade du ett starkt vägande motiv att utföra det. Du visste att Rutger fortfarande älskade Marianne, men du hade förmodligen hoppats att hon aldrig mer skulle korsa hans väg. Så gjorde hon det och...

Anns ögon var så vitt uppspärrade och deras blick — eller snarare frånvaro av blick — så föga mänsklig att jag inte uthärdade synen. Med ett svagt skri föll hon ihop och började gråta våldsamt.

Christer stod med två långa steg framför hennes stol, och den örfil han gav henne hade nästan genast åsyftad verkan. Den hysteriska gråten upphörde, hon endast snyftade sakta, och efter en stund höjde hon sitt ansikte mot honom och viskade:

— Jag har inte gjort det. Du måste tro mig. Jag har inte gjort det.

— Du vidhåller alltså dina uppgifter att du sov både på fredag mellan ett och fem och natten till söndag.

— Ja, jag hade migrän och hade tagit pulver...

Christer satte sig igen, och hans röst avslöjade intet av vad han tänkte.

— Kanske du ändå vill vara vänlig och svara på några frågor, som kan hjälpa oss att komma till klarhet. Visste du när Rutger friade till dig att han var förälskad i en annan kvinna?

Hennes svar kom som en snyftning.

— Nej.

— Men du måste ju ha känt till hans mångåriga förbindelse med Marianne Wallman?

— Jag hade varit i flera år i England. Jag visste inte att han hade brutit med henne så nyligen. Och ingen sa någonting till

164

mig.

— Lät han dig tro att han var kär i dig? Att du var den enda kvinnan för honom?

— Nej. Han sa mig att han upplevt en fruktansvärd besvikelse i kärlek och att hans känslor var förtorkade, men han hoppades ... vi hoppades att jag skulle kunna hjälpa honom att komma över det.

— Var det överenskommet från början att du inte skulle följa med till Stockholm det här året?

Hon nickade.

— Och när sedan Lil dök upp här och började flirta med honom blev du svartsjuk. Du hade inte räknat med att i hans "förtorkade" känsloliv kunde finnas rum för någon annan kvinna? Och så inlät du dig i en liten förbindelse med Jojje ...

Ann flämtade till i förvåning och skräck.

— Hur vet du ...? Vad vet du om det?

— Vi vet i varje fall att du lät Jojje kyssa dig någon gång vid tvåtiden i onsdagsnatt.

— Åh, du är skamlig! Nu grät hon nästan, men det var en mer normal gråt än tidigare. Jag *lät* honom visst inte kyssa mig. Han gjorde det ändå. Jag var ute för att ...

Hon avbröt sig tvärt, men då hon såg Christers blick fortsatte hon ansträngt:

— Rutger hade inte kommit in och lagt sig. Jag var ute för att se vart han hade tagit vägen. Och så stötte jag ihop med Jojje. Han var rar och beundrande, och jag pratade med honom en stund, men jag hade aldrig en tanke på att han skulle få kyssa mig. Jag sprang in så fort jag hade kommit loss. Det är alldeles säkert. Ni får inte tro något annat!

Hon var rörande ivrig att vi inte skulle tro att hon varit Rutger otrogen. Och på *den* punkten antar jag nog att vi alla trodde henne ...

— Vad gjorde du på torsdagen sedan Marianne hade kommit?

— Rutger försvann med Lil, och Jojje och Marianne gick ner och badade, så jag fick lov att ta hand om Viveka. Jag visade ön för henne ...

— Och på natten? Natten till fredagen?

— Jag låg.

— Men du sov inte? Var var Rutger?

— Jag ... jag vet inte.

— Det vet du alldeles säkert. Han var tillsammans med Marianne, inte sant?

— Nej, sade Ann med vitnande läppar. Nej.

Hon försökte resa sig ur stolen, och innan vi hunnit göra något hade hon svimmat framför våra fötter.

Christer svor sakta medan konstapel Svensson bar bort henne, och han vandrade runt biblioteket som ett lejon i sin bur.

— Jag ger upp. Hör du det, Leo! Jag ger upp och låter dig och dina fjärdingsmän reda ut hela den här förbannade härvan på egen hand. Vem jag än får lov att häkta, så blir det ju en av mina personliga vänner, och jag är inte riktigt så omänsklig som miss Lilian inbillar sig. Det här är ett smutsigt jobb, som för varje stund blir allt mer osympatiskt ... Sa du något?

Det sista var riktat till mig, som ögnat igenom anteckningarna från det sista förhöret och nu lade igen stenogramblocket med en smäll.

— Ja. Jag sa att jag inte alls undrar på om hon kände behov av att mörda någon. Det enda som förvånar mig är att hon inte började med Rutger.

Christer gav mig ledigt resten av eftermiddagen, och jag gick ut i sällskapsrummet tveksam om hur jag skulle uppträda inför Lil och Ann efter allt de tvingats medgiva i min närvaro. Men ingen av dem syntes till, och för övrigt infångades jag genast av Einar, som frågade mig om mina lockar var vattensäkra eller permanentade. Jag svarade indignerat att de var högst naturliga och att ingenting var så nyttigt för dem som regnväder.

— Det här är inte regn, mitt hjärta, det är syndaflod. Men om du har mod att leka Noaks hustru kan du få följa med till Uvfallet. Jag ska hämta doktorn.

Jag var kanske inte så modig, men jag var mycket kär, och jag svarade beredvilligt:

— Dit du går ...

Vi åt en privat och mycket hastigt hopkommen middag i köket eftersom Einar inte visste hur länge vi kunde få vänta på doktorn: denne hade uttryckligen sagt ifrån då Eje i morse talade med honom i telefon att han inte var säker på att han skulle kunna passa tiden. Och sedan vi därefter till Pyttans oförställda förtjusning styrt ut mig i Anns och Einar i Rutgers stövlar och oljerock kände vi oss beredda att trotsa vilket väder som helst.

Det blev emellertid redan från början en mycket obehaglig resa. Stormen vräkte ner regnet i formliga störtskurar, och på Uvlången blåste det så att jag blev allvarligt förskräckt.

— Hur är det möjligt att det kan gå sådana vågor på en så liten sjö?

— Den ligger i en kitteldal med höjder runt omkring, så när vindarna väl har kommit i gång blir det som en fullständig häxkittel.

Einar slet som ett djur för att starta motorn innan vi krossades mot klipporna, och med ett ilsket fräsande vände den stora båten stäven utåt — mot stormen och regnet. Inom en halv minut var vi trots våra oljerockar genomvåta, och ingen hörde längre ett ord av vad den andra ropade ut i rymden. Hur Einar lyckades navigera rätt är ett mysterium; man såg inte mer än ett tiotal meter framför sig. Hela världen var grå, kall och fruktansvärt våt.

Vi landade emellertid någorlunda lyckligt nedanför Uvfallet, och Einar skrek något om att klockan inte var halv fem och att vi fick vänta. Jag gick i land i den tron att det skulle vara mera lä där, och Einar försökte förklara att det var något fel på motorn, att han måste se över den och att jag kunde bana mig väg upp till posten och hämta postväskan. Det vill säga jag trodde åtminstone att det var vad han sade.

När jag kom tillbaka ner till sjön hade doktorn anlänt. Det var en lång, mager och gråhårig man med slokande mustascher och vänliga trötta ögon. Han skakade hand utan att säga sitt namn. Antagligen var han van att vara igenkänd när han kom på sina sjukresor.

Han kastade en sorgmodig blick ut över det mörkgrå, regnpiskade vattnet och steg ombord. Motorn hostade oroväckande, men framåt gick det med hjälp av de fräsande vågorna så snabbt att till och med Einar blev överrumplad. Plötsligt urskilde vi bara några meter framför oss den branta bergväggen vid Stupet. Jag skrek till, doktorn reste sig framme i fören, och Eje lade om rodret så häftigt att båten för en sekund stod rakt upp och ner i vattnet. Vi gled förbi Stupet så nära att vi tyckte oss kunna röra vid den skrovliga klippan, och faran var förbi innan vi riktigt hunnit fatta den. Einar smålog matt åt mig, och i samma ögonblick tystnade motorn med ett surrande och en suck.

De följande minuterna var hektiska. Den stora båten drev förfärande hastigt in mot den steniga stranden vid sidan av Stupet. Medan Einar arbetade med motorn försökte vi andra med ett par bräckliga båtshakar hålla farkosten flott.

Jag böjde mig fram och spanade med svidande ögon efter stenar. Och så satte jag båtshaken i något mjukt.

Doktorn uppfattade först att jag höll på att svimma. Och eftersom hans läkarinstinkter förmodligen bjöd honom att hellre ägna sig åt en sjuk människa än åt en aldrig så dyrbar motorbåt släppte han sin båtshake och räckte mig en stödjande hand. Jag pekade med darrande fingrar ner i vattnet, och därefter satte jag mig på en bänk och grät.

Båten passade omedelbart på tillfället att köra på grund, och eftersom den tycktes stå ganska stadigt där kunde även Einar kosta på sig att lämna sin motor och i stället vid doktorns sida blicka ner på det formlösa föremål jag utpekat. Han gav till ett kvävt utrop och svingade sig därefter över relingen.

Doktorn tog i sin famn emot Ann-Sofi Hammars livlösa kropp. Vattnet rann i floder från det ljusa utslagna håret och den marinblå klänningen. Hon var barbent och hade vita skor på fötterna.

Einars läppar var som ett smalt streck, och han rynkade bistert ögonbrynen.

— Det är nästan samma ställe, där vi fann Jojje... Är hon död, doktorn?

Denne som var i full färd med att undersöka henne svarade utan att se upp. Vinden förde bara lösryckta bitar av hans tal fram till mig.

— ...inget spår av yttre våld... inte så länge i vattnet... konstgjord andning.

Och med plötslig myndighet i rösten ropade han därpå:

— Vi måste ha upp henne i stugan snabbt. Kanske kan man göra någonting...

Hur Einar inte bara fick loss båten utan även fart på motorn är visst fortfarande en gåta också för honom själv; med rasande fart svepte han emellertid efter några minuter förbi båthamnen och fram emot badbryggan nedanför stugan. Till och med jag begrep att det i detta väder var direkt farligt att försöka lägga till i den lilla viken, och vi tog också land med ett brak, som bådade mycket illa för den stolta motorbåtens framtid.

Förvånande nog fanns ingen Rutger till hands för att värna om sin dyrgrip. Vi klättrade under tystnad uppför grässluttningen, och där uppe möttes vi av Christer och överkonstapel Berggren. Deras anletsdrag hårdnade, och det kom ett nästan vilt uttryck i Christers ögon.

— Jag var rädd för det här, mumlade han. Konstapel Svensson skulle vakta henne, men han tappade bort henne. Är hon död?

— Troligen. Men jag ska försöka med konstgjord andning.

I sällskapsrummet halvlåg Viveka på soffan med en filt över sitt skadade ben. Lil, Carl Herman och Pyttan satt småpratande omkring det avdukade middagsbordet. Rutger kom in från köket, och doktorn trädde med sin börda in genom ytterdörren.

Det var som om Rutgers ansikte hade upplösts inför våra ögon. Skräck, fasa, avsky och sorg kämpade om herraväldet, där han stod alldeles orörlig i dörröppningen. Utan ett ord gick doktorn och Christer mot sängkammaren. Konstapel Svensson och Einar tillkallades, och dörren stängdes obarmhärtigt.

Rutger vände tvärt om på klacken och försvann. Och med en större snabbhet än jag tilltrott den runde mannen ilade överkonstapeln ut efter honom.

I sällskapsrummet var det numera jag, som var den absoluta huvudpersonen. Pyttan klädde med egna händer av mig stövlarna och oljerocken, Lil sprang efter torra kläder åt mig, och jag tvingades att byta. Skrudad i Lils mjuka vadderade morgonrock i mörkgrön sammet måste jag sedan berätta om vårt hemska fynd. Alla talade i munnen på varandra, men Pyttan lyckades i alla fall slå fast att hon var den som sett Ann sist. Klockan halv fem hade hon passerat köket, där Pyttan stod och diskade efter den ovanligt tidiga middagen, och sedan hade Pyttan inte reflekterat över att hon inte kommit in igen. Jag trodde att vi hade passerat Stupet ungefär halv sex.

— Det är ju bara en timme det rör sig om!

— Och vi var inne här allesammans, sade Viveka långsamt. Alla ... utom Rutger.

Pyttan grep mig så hårt i armen att det gjorde ont.

169

— Hon dränkte sig själv, eller hur? Det var hon, som ... som var den skyldiga, och nu har hon tagit sitt eget liv. Säg, Puck, är det inte så?

Jag såg med oändligt medlidande in i Pyttans grå ögon, som var så smärtsamt lika Rutgers.

— Jag vet inte, älskade barn. Jag vet inte längre någonting alls.

Fjortonde kapitlet

Ridån hade verkligen gått upp för sista akten, och jag tror att alla de uppträdande var medvetna om den saken. De många kusliga och spännande stunder, som vi under den gångna veckan i alltför rikligt mått hade genomlevat, tycktes blekna och utplånas; fast våra nerver ropade att de inte uthärdade mer stålsatte de sig samtidigt inför de kommande timmarnas ännu större påfrestning och spänning. Jag var tacksam att Christer aldrig ens bad mig att försöka stenografera — jag skulle ändå inte ha förmått göra honom till viljes. Tempot var högt uppdrivet och mina händer mot slutet av dramat alltför ostadiga.

Sällskapsrummet var som alltid ombonat, vänligt och vardagstrivsamt. Takkronornas varma ljus kämpade segerrikt med den grådisiga dagern utanför fönstren, i spisen glödde röda och hemlighetsfulla träklossar, som ledde tanken till min barndoms fantasiomspunna brasor. Hela miljön var riktig och lycklig; det var bara människorna, som var olyckliga och onormala.

Christer hade kommit från sängkammaren med hårt slutna läppar. Endast en huvudskakning hade sagt oss att kampen där inne alltjämt var resultatlös. Nu stod han vid spisen och lät blicken mönstrande glida över församlingen. Vi satt orörliga och avvaktande som statister, vilka väntar på att huvudaktören genom sin replik skall öppna spelet.

Jag höll fortfarande armen om Pyttan, som sakta snyftade. Bredvid oss på den breda, väggfasta hörnbänken satt Lil och Carl Herman. Hon hade krupit upp på bänken med benen under sig, och hon lutade sig endast då och då framåt för att nå det stora askfatet på bordet. Carl Herman stirrade envist i golvet; det var som om han inte uthärdat att se någon av oss i ögonen. Viveka hade satt sig bättre upp i soffan. Hon var mycket blek nu, men doktorn, som kommit för hennes skull, hade inte längre tid för henne, och hon klagade inte.

Vi väntade.

Så slogs köksdörren upp, och Rutger nästan tumlade in i rummet. Han var genomvåt, och den vita skjortan klibbade fast vid det kraftiga bröstet. Han sjönk med ett stönande ner på en trästol vid sidan av Carl Herman. Överkonstapeln drog fram en stol och placerade sig i dörröppningen.

Christer tog med en frånvarande min pipan ur fickan, men han stoppade den inte.

— Nå? sade han.

Och då Rutger inte svarade upprepade han ännu skarpare:

— Nå? Tycker du inte att det är tid för dig att tala? Du har mycket att förklara.

Rutger strök sig med handen över det regnvåta ansiktet. Därpå reste han sig till hälften.

— Lever hon?

Överkonstapeln tryckte ner honom på stolen igen, och Christers röst var utan medlidande när han upplyste:

— Nej. Det är grundligt gjort. Du behöver inte oroa dig för att hon någonsin ska få kännedom om ditt dunkla förflutna.

Rutgers breda skuldror sjönk ihop. Han dolde under några minuter ansiktet i händerna, och Christer väntade utan ord. När Rutger därefter såg upp verkade det som om han givit upp allt motstånd.

— Vad är det du vill veta?

— Inga trevliga saker. Men det är bäst för både dig och oss att få det här utrett i vittnens närvaro... Du hör till dem, som har blivit mycket älskad, Rutger. Och jag vill gärna höra från din egen mun vem det är du själv har älskat.

Svaret lät som en befrielse.

— Marianne. Bara Marianne. Än i denna stund är det bara Marianne.

— Du var fruktansvärt svartsjuk?

— Ja. Det var som en sjukdom... som en besatthet. Jag kunde inte göra någonting åt det...

— Hon bedrog dig? Det var därför du bröt med henne?

Han såg ner på sina händer och nickade tyst.

— Med vem?

— Vad spelar namn för roll? Hon hade svikit mig. Svikit mig på ett sätt, som kunde göra vilken man som helst galen!

I den paus, som uppstod, hängde hans ord i luften, tunga och lidelsemättade och på något underligt sätt oroande. Så var det ändå Marianne, som genom sitt handlande hade satt lavinen i rullning. Marianne, som också hade varit alltför älskad och som fått betala ett så högt pris för kärleken . . .

— Och sedan gifte du dig med Ann?

— Ja. Jag vet att det var mitt största brott. Men jag ville försöka glömma allt, som hade med Marianne att göra. Jag inbillade nog både Ann och mig att det skulle lyckas. Men hon var på något vis alldeles för ren och god för mig. Jag gick omkring med konstant dåligt samvete för att jag inte kunde ge henne den kärlek hon förtjänade, för att jag inte kunde få lidelsen och raseriet ur blodet . . . Lil passade mig bättre.

Han gav Lil en snabb och tacksam blick, som hon besvarade med ett tappert leende.

— Hon har varit storartad hela den här tiden, och jag är glad att jag har fått tillfälle att säga det. När hon försökte ge mig ett alibi för lördagsnatten — för naturligtvis var hon aldrig med mig ute och seglade — skämdes jag grundligt. Jag har sannerligen inte uppfört mig så mot henne att hon hade någon anledning att skydda mig.

— Hade du inte återsett Marianne förrän hon uppenbarade sig här i torsdags?

— Nej. Hur jag kom igenom den första timman förstår jag inte. Jag kände ju att vad hon än hade gjort mig och hurdan hon än var, så fyllde hon varje droppe i mitt blod. Och jag visste samtidigt att jag inte fick avslöja mig inför Ann. Hela hennes tillvaro skulle ha störtat samman om hon bara för en sekund hade fått se in i min kaotiska känslovärld . . . Så fort jag kunde bad jag Lil gå med mig på en promenad; jag tyckte att det verkade alltför oartigt att gå ensam när vi nyss hade fått gäster. Vi klättrade upp på Utsiktsberget, men tyvärr kom vi in på ämnet Marianne, och det gick inte alls, så jag lämnade henne där uppe.

— Och så uppsökte du Marianne på hennes rum?

— Nej, inte riktigt. Vi möttes utanför gästflygeln när jag kom från berget och hon från badet, och eftersom jag inte ville att Ann skulle se oss gick vi in på hennes rum.

— Och där blev det en liten scen då hon talade om för dig att du hade förstört inte bara ditt utan också hennes liv . . .

Rutger såg en aning förvånad ut.

— Ja, det var något i den vägen. Jag visste inte att väggarna hade öron.

— Du har själv låtit bygga dem, anmärkte Christer torrt. Det var Puck, som mycket mot sin vilja råkade uppfatta några ord.

— Hm. Ja, det var inte mycket mer vi sa. Vi kom i stället överens om att träffas på kvällen för att få tala ut ordentligt. Men jag ville att Ann skulle hinna somna, så vi möttes inte förrän klockan tolv.

Han tystnade och tycktes försjunka i sina tankar. Slutligen såg han upp, och då han fann att Christer alltjämt väntade fortsatte han trevande:

— Vi började verkligen med att tala. Men vi hade båda två längtat alltför länge efter varandra, och naturligtvis slutade det med att jag nästan kastade mig över henne. Det var... det var en mycket underlig natt. Jag var kanske lycklig på ett sätt, men allra mest var jag äcklad och skamsen och rasande på mig själv för att jag på nytt hade givit mig i lag med henne. Jag kände att jag aldrig skulle kunna se Ann i ögonen mer... Jag fick henne i alla fall att lova att hon skulle fara dagen därpå. Vi talade inte om framtiden, men jag tror att hon var fullt nöjd med stunden. Vi skildes åt klockan åtta på morgonen...

— Vill du säga var ni tillbringade natten?

— En bra bit in i skogen framme på norra sidan av Ön. Åh, du tänker på Pucks armband? Ja, jag knäppte själv av henne det... Jag har aldrig velat se några smycken på henne. Sedan glömde vi det. Jag gick tillbaka och letade på fredagskvällen, men då hade tydligen någon annan redan funnit det. För resten var det då på natten, som jag lade märke till hennes lustiga hårspänne också, det där som du sedan skrämde oss med...

— Lovade du någonsin att köra henne över?

— Nej, visst inte. Vi kom överens om att det var bäst att vi visade oss så litet som möjligt tillsammans.

— Du var verkligen i Lillsjön på fredagen?

— Ja. Jag nästan flydde... från Ann och alltsammans. Jag rodde först till Lillsjön och fiskade, men när jag kom tillbaka vid fyratiden kände jag att jag inte kunde gå upp och träffa de andra, och så tog jag motorbåten och körde runt ett par timmar. Det lugnade mig litet, och på kvällen tror jag att jag verkade nå-

174

gorlunda normal ... Ser du, min djupaste instinkt de här sista dagarna — och nätterna — har varit att få komma bort från alla människor ... att få vara ensam med mig själv på sjön eller i skogen för att möjligen få någon rätsida på allt trasslet inom mig. Men, tillade han med ett blekt leende, de senaste händelserna här på Ön har just inte varit befordrande för stilla meditationer.

— Det var alltså därför du seglade i lördags natt?

— Ja. Det blåste ju rätt friskt och ... Jag vet att det verkade snurrigt, men om du hade varit i mina kläder tror jag inte att du heller hade gått och lagt dig att sova vid Anns sida.

— Du hörde inte skottet, som dödade Jojje?

— Nej.

I detta ögonblick öppnades dörren till sängkammaren, och Einar kom ut. Han var fortfarande klädd i stövlar, hans skjortärmar var uppkavlade och håret fuktigt av svett. Han stängde försiktigt dörren och lutade sig tungt mot den.

— Hon ... hon andas igen.

Det var som om vi inte längre varit mäktiga att reagera. Våra känslor var avtrubbade, och våra tankar arbetade med ett helt annat problem.

Plötsligt lade sig emellertid Rutger över bordet och började storgråta. Han grät först häftigt och stötvis, sedan allt lugnare och tystare. Christer hade lämnat sin plats, och hans ena hand vilade tröstande på Rutgers axel. I övrigt kunde man tro att rummet var befolkat av vaxdockor; vi var lika orörliga och lika bleka.

Slutligen talade Christer, och hans röst lät mild och full av deltagande.

— Jag ska bara plåga dig med en fråga till, Rutger, men den är ganska väsentlig. *Varför har du försökt skydda mördaren?* För jag kan inte finna något rimligt svar på den frågan ...

Det rasslade i spisen av ett vedträ, som rasade samman. För övrigt hördes inte ett ljud utom Rutgers gråt.

Så lyfte han på huvudet.

— Det var Marianne jag skyddade. Marianne och min egen skam ...

Christer återtog sin ställning borta vid spisen. Han betraktade oss utan att se på någon särskild. Och när han talade verkade det snarast som om han försökte utreda någonting för sig själv.

— Det var ett par saker jag hängde upp mig på hela tiden.

175

Ett par saker, som inte klaffade riktigt. Ingenting stort och betydelsefullt naturligtvis — mördaren är en både slug och begåvad individ, som inte lämnar mycket åt slumpen. Men de fanns där i alla fall, och de irriterade mig.

För första gången under kvällens lopp tände han pipan. Allas blickar hängde vid den rutiga gestalten, som frånvarande lutade sig mot spiselkransen.

— Alla tre sakerna rörde sig på ett eller annat sätt om Jojje. Hans ganska ytliga förbindelse med personerna i det här dramat borgade för att han inte hade blivit mördad av några personliga motiv. Den röda scarfen i hans hand gav också en ganska tydlig fingervisning om att han hade blivit röjd ur vägen därför att han visste för mycket om det första mordet. Jojjes uppträdande är ju hela tiden normalt och mycket litet hemlighetsfullt; det är först när han börjar vanka av och an här utanför under större delen av lördagsnatten, som det blir en smula mystiskt. Han väntade på någon, det var det svar han gav till alla som talade med honom. Enligt samstämmiga vittnesmål verkade han knappast som om han hade varit på väg till ett kärleksmöte. Jag tror därför inte att man begår något misstag om man gissar att den han väntade på var — mördaren. Kanske hade de stämt möte, kanske hade han sina skäl att tro att mördaren under nattens lopp skulle försöka lämna sitt rum. Att de båda också träffades till slut vet vi. Om vi alltså visste vem det var han väntade på skulle vi också veta vem *vi* letade efter. Nu är det på grund av de oregelbundna nattvanorna på Lillborgen ganska många, som måste elimineras. Jojje talade vid olika tidpunkter både med mig, Lil och Eje, och han nämnde för Eje att han hade sett Carl Herman. Trots detta stod han kvar på sin post. Väntade han möjligen på att Rutger skulle komma tillbaka? Knappast — i så fall hade han nog som vi andra gått ner och satt sig att vänta vid båthamnen, och under alla omständigheter hade han väl hållit sig framme på gräsplanen, där han ordentligt kunde bevaka ingången till stugan. Nej, min slutsats blev att *Jojje måste ha väntat på någon som fanns inomhus,* någon som han hade i säkert förvar och som det därför lönade sig att vänta på ...

Han gjorde ett litet uppehåll för att få bättre drag på pipan och fortsatte med en smula höjd röst:

— Den andra omständigheten, som förvånade mig, var Ma-

176

riannes Båstadsresa. Jojje hade tydligen planerat sin resa dit långt i förväg, men i Mariannes namn fanns inget rum beställt på något håll i Båstad. Hennes beslut att träffa Jojje där tycks ha tillkommit helt hastigt och lustigt under något samtal med Jojje här på Lillborgen. Kanske var det som Puck antydde, inte så allvarligt menat utan mera avsett att trösta honom i avskedsögonblicket, men det kom att få allvarliga följder.

Christers blå ögon vilade en sekund forskande på mig.

— Pucks mycket utförliga referat av händelserna framhävde ett par detaljer av intresse i det här sammanhanget. Strax efter det att Marianne och Viveka hade anlänt tycks Viveka ha talat om att deras semester nu var slut och att båda var på väg hem till Stockholm för att börja arbeta, Viveka på sin avhandling och Marianne på "ett förmöget konsulshuvud", som hon hade fått beställning på. Minns ni andra det?

Viveka nickade.

— Det är alldeles riktigt.

— Puck uppgav vidare att Jojje i ett förtroligt ögonblick på lördagskvällen stod i begrepp att berätta om sitt avsked från Marianne och att han då började på en mening, som han aldrig avslutade. Kommer du ihåg den?

Jag upprepade mekaniskt:

— "Och när vi skildes lovade hon att träffa mig i . . ."

— Vi bygger mycket på Pucks minne, men jag tror att vi vågar göra det. Det är lätt att fylla i det som fattas, eller hur? När Marianne kysste Jojje till avsked inne i snårskogen lovade hon att komma ner till honom i Båstad. Med det lät han sig nöja — det var kanske det som var avsikten — och hon var fri att gå till sitt möte med mördaren. Om våra beräkningar är riktiga träffade hon denne längre ner på vägen, och hon kan alltså knappast ha hunnit meddela sitt nyligen fattade beslut åt någon annan. Om ni minns *vem som vid mitt förhör på lördagsmiddagen uppgav att Marianne tänkte resa till Båstad* förstår ni varför jag lägger en sådan vikt just vid den här detaljen . . .

Jag stirrade mållös på Christer. Men han fortsatte med allt större eftertryck:

— Ett annat av Mariannes yttranden, som säkert har satt myror i huvudet på oss allihop, var hennes påstående att Rutger skulle köra henne över till Forshyttan. Vid lunchen kom man offentligen överens om att Jojje skulle skjutsa henne. Sedan hon därefter hade druckit kaffe på gräsplanen gick hon in för att packa. En halvtimme senare går hon direkt från sitt rum till Jojje och säger att det i stället är Rutger, som ska få äran att ledsaga henne. *Vem hade haft tillfälle att under mellantiden viska den lögnen i hennes öra?*

Och han gav oss inte längre tid att andas eller tänka utan tilllade snabbt:

— *Vem kan inte sova på resor utan sömnmedel men lade sig ändå ner och sov gott på fredagen från klockan ett till sex?* För man får väl anta att en normal människa inte tar sömntabletter mitt på dagen?

Överkonstapel Berggren hade rest sig. Christer tog ett par steg ut på golvet och uttalade lågt men tydligt de förlösande orden:

— Viveka Stensson, jag anklagar dig för dubbelmord — på Marianne Wallman och på George Malm.

Viveka hade slängt av sig filten och stödde nu den ombundna foten mot den gröna mattan. Hennes ögon var vänliga och sorgsna, och hon nickade långsamt.

— Jag visste att jag inte hade stora chanser när du dök upp. Ser du Christer, du är en av de mycket få karlar, vars intelligens jag verkligen beundrar . . .

Pyttan kramade min hand så att det gjorde ont. Och jag undrade slött om det var jag eller världen, som hade blivit galen. Kunde man alltså inte alls lita på vad ens instinkter sade om en människa, betydde inte ett par vänliga blå ögon någonting?

Viveka såg allvarligt på Christer. Därefter sträckte hon sig efter en cigarrett. Då han artigt tände den flög ett litet leende över hennes nästan gulbleka ansikte.

— Tack, du är all right! . . . Vill du kanske nu tillfredsställa både mig och de övriga genom att tala om hur du har tänkt dig det hela. För jag antar att du är medveten om att de teorier du nyss lagt fram skulle göra sig mycket dåligt som bevis i rätten.

Christer bugade sig lätt.

— Gärna. Det är fortfarande många punkter som jag behöver hjälp med.

Viveka lutade sig tillbaka i soffan. På något sätt tycktes hon njuta av att vara medelpunkten i sällskapet. Men snart koncentrerades såväl hennes som vårt intresse på nytt kring Christer

Wijk. Jag kände med skamsen förvåning att jag alltjämt kunde fyllas av någon sorts intellektuell glädje inför klarheten i hans tanke och utsikten att tack vare denna äntligen få en förklaring på alla mysterier.

— Pyttan sa häromdagen att Viveka började uppföra sig misstänkt redan innan hon anlände hit till Ön. Hennes prestation att ro en halvmil mitt i den värsta hettan visade inte bara att hon hade större kroppskrafter än man skulle ha trott om en kvinna utan också att hon ägde en ovanlig viljestyrka. Jag skulle emellertid tro att hon talade sant när hon påstod att det var Marianne, som hade genomdrivit detta strandhugg på Lillborgen; själv måste hon ha vetat att det endast skulle bli en plåga för henne att komma hit. Jag utgår nämligen ifrån att hon sedan lång tid tillbaka älskade Rutger.

Rutger gjorde en åtbörd av yttersta häpnad, men Christer hade intagit sin älsklingsattityd med blicken långt ute och uppe bland de regngrå molnen, och han föreföll inte längre medveten om att vi existerade.

— Viveka och Marianne var mycket goda vänner, men jag föreställer mig att det på botten av den vänskapen måste ha funnits en god portion hat. Marianne var vacker och nästan utmanande attraktiv, och jag tror att hon tog det för självklart att det var hon som skulle vara beundrad medan väninnan stod i skuggan. Lika självklart som det var att Viveka skulle ro och knoga under det att Marianne samlade sig till en vacker entré! Jag tror att mordet var ganska oöverlagt, men jag tror också att det kom som en befrielse och en utlösning av känslor, som legat instängda i åratal... Den händelse, som tjänstgjorde som utlösare, var säkert Mariannes frånvaro under torsdagsnatten. Viveka låg sömnlös hemma och väntade att Marianne skulle komma in från sitt kärleksmöte med Rutger; hon var så angelägen att få veta *hur* länge det dröjde att hon inte ens ville ta sina vanliga sömntabletter. *Men Marianne kom inte alls*, och under de långa timmarna blev tanken på mord och hämnd allt mer levande. När Marianne vid lunchen förklarade att hon tänkte resa såg Viveka sitt tillfälle. Hon lagade att hon blev ensam med henne en stund på rummet, och där uppgav hon att hon hade en hälsning från Rutger. Han ville själv köra Marianne och bad att hon skulle skaka av sig Jojje och möta honom vid båthamnen. Marianne gick i fällan. Hon tröstade Jojje med ett löfte att komma till Båstad och gav sig därefter ensam i väg neråt hamnen. En bit ovanför den stora kröken väntade Viveka. Marianne tycks inte ha misstänkt något; hon berättade — kanske med ett skratt — att hon lovat att resa till Båstad och ville fortsätta ner till sjön. Resten vet vi. Viveka strypte henne och dolde henne under granen i väntan på ett ostört tillfälle att kasta henne i sjön.

Viveka var om möjligt ännu blekare än förut. Tydligen tog det hela mer på henne än hon ville visa. Men Christer fortsatte obevekligt.

— På natten rodde hon ut med liket i ekan men såg inte att Mariannes hårspänne blev kvar på botten. Ändå öste hon ekan mycket omsorgsfullt — av någon anledning, som jag inte riktigt begriper. Den röda scarfen är ett annat mysterium, som jag förslagsvis tänker mig så här. Viveka tappade den när hon bar sin börda ner till båten och stoppade den i fickan på sina byxor. Sedan glömde hon bort den ända tills vi började orda om den på lördagen. Hon förstod att det var livsfarligt för henne att behålla den och beslöt att göra sig av med den på natten. Dessförinnan hade hon — eftersom hon blev skrämd av mitt uppdykande — lagt sig till med Rutgers revolver. Men hon hade otur så till vida att det var åtskilliga av Lillborgens invånare, som var ute och sprang i natten. Hon måste ha hört både Lil, Carl Herman, Eje och mig i olika omgångar, och hon vågade sig säkert inte ut förrän framåt morgonen. Då smög hon sig upp till Stupet i avsikt att där kasta bort den farliga scarfen. Men hon hade en förföljare. Jojje, som hade gripits av glödande kärlek till Marianne, var ute för att fånga mördaren. *Hur* han hade börjat misstänka rätt person vet jag inte; möjligen hade det något samband med den underliga historien om en mystisk figur utanför hans fönster samma natt som liket blev flyttat. Han hann ifatt henne uppe på Stupet, och hon förstod att hon var förlorad. Förresten är det möjligt att han hotade henne till livet; han var nog något av en bärsärk när han blev retad. Men av någon anledning råkade han vända ryggen till, och då sköt hon. Sedan var det en enkel sak att sätta scarfen i hans hand och rulla honom över branten.

Hittills hade Christer talat flytande och snabbt. Det märktes att detta var tankebanor, som han redan prövat många gånger och som han slutligen funnit bärkraftiga. Nu slet han emellertid blicken från molnen och såg fundersamt på Viveka.

— I fortsättningen är jag inte lika säker. Det verkar nästan otroligt att en människa med berått mod kan kasta sig i en sådan fälla, som du gjorde i går kväll, och ändå insåg jag redan **från** början att det var den enda logiska förklaringen. Du blev skrämd både av mitt förhör på eftermiddagen och av alla poliser och journalister, som vimlade här hela dagen. Och så bestämde du dig för att sätta i gång ett litet mordförsök — riktat mot dig själv. Du passade på när alla trodde att du låg och vilade dig efter din gråtattack vid middagen. Jag gissar att det var medan Ann satt och lyssnade till pjäsen och de övriga var ur vägen var och en på sitt håll. Du smög dig bort till källaren, såpade trappan och återvände därefter till ditt rum. Det var inte stor risk för dig, för om någon hade sett dig komma och gå mellan de båda flyglarna hade han naturligtvis trott att du var på väg till eller från toaletten. Sedan kom bridgespelet dig till hjälp. Du aktade dig att begära själv; i stället stödde du Rutger så att hans begär gick igenom och du fick lägga upp korten. Men du måste samtidigt vänta tills konjaken var slut, därför var du tvungen att upprepa din manöver tre gånger innan du äntligen — på ett mycket naturligt sätt — kunde avlägsna dig. Du gick ut och ramlade med full avsikt utför trappan, och det var mycket raffinerat uttänkt. Vad vi inte kunde förstå, överkonstapel Berggren och jag, var att du kom ifrån det hela så lindrigt. Och så började vi säga oss att den enklaste förklaringen till det var att du ändå stigit åtminstone på de översta stegen med en viss försiktighet. Du hade inte kommit klivande hurtig och oförberedd och angelägen att få upp konjaken så fort som möjligt... På det sättet fick vi också svar på den mest förbryllande frågan: hur kunde mördaren vara säker på att rätt person skulle gå i fällan? Du var helt enkelt beredd att tjänstvilligt störta i väg före var och en annan, som hade planer i den riktningen... Däremot erkänner jag oförbehållsamt att jag inte vet vad som egentligen hände Ann vid Stupet i dag. Möjligen hade du genom rent mental tortyr drivit henne till självmord, möjligen är du på den punkten alldeles oskyldig. Ann hade nått den yttersta gränsen för vad en människa står ut med, och jag är ganska övertygad om att hon själv slängde sig ner för branten... Den moraliska skulden för det får du väl dela med Rutger.

Det var länge tyst. Endast fotogenlampornas susande och regnets ilskna smattrande ackompanjerade våra tankar. Einars och mina ögon möttes tvärs över rummet, och vi var tacksamma att mardrömmen nalkades sitt slut.

Vivekas röst kom oss att alla rikta våra blickar mot den skrynkliga figuren i soffan. Hon lät lugn och nästan glad.

— Du har gjort ett beundransvärt jobb, och ingen uppskattar det bättre än jag. Men du har tagit miste på en mycket fundamental punkt. Det är sant att jag mördade Marianne i ett anfall av svartsjuka. *Men det var inte Rutger jag älskade. Det var Marianne.*

Femtonde kapitlet

— Ja, jag ser vad ni tänker, men nu gör det mig äntligen detsamma. I åratal har jag förställt mig inför vänner och föräldrar, men nu orkar jag inte längre. Förresten vet jag inte vad det numera skulle tjäna till. Just dem, som jag ville skona, har jag ju redan tillfogat en många gånger större sorg.

Jag begär inte att ni ska förlåta mig och inte ens att ni ska kunna förstå mig. Men om ni är så intresserade att ni vill höra mitt komplement till Christers förklaring så ska jag försöka ge er det.

En psykoanalytiker skulle naturligtvis säga att jag borde gå tillbaka till mina spädaste barnaår för att där hitta fröet till det träd, som nu har burit så onda frukter. Men jag är just inte medveten om att jag har upplevat något annat och mer uppseendeväckande än mina två bröder gjorde. Och de har gudilov utvecklat sig fullkomligt borgerligt och normalt; båda sitter i denna stund i var sin prästgård, omgivna av dyrkande fruar och blomstrande barnskaror. Naturligtvis behandlade både de och alla andra mig alltid mera som en pojke än som flicka, och jag tror nog att jag hyste ett visst förakt för mitt eget kön. Men jag levde ett friskt och alldeles ohämmat liv, och jag kan inte hitta något som har varit komplexskapande eller ägnat att förvrida mina naturliga instinkter.

Därför förmodar jag helt enkelt att mina instinkter redan från början var — vad ni skulle kalla abnorma. Visserligen är inte ärftlighetsteorien ett enda dugg mer givande än den, som bygger på de skakande upplevelserna i barndomen, för båda mina föräldrar är kärnsunt bondfolk, vars nästan enda fel är att de är så intensivt riktiga och vanliga. Att min far är en studerad karl och till och med har avancerat till prost har inte nämnvärt inverkat på den punkten. Kanske är jag ett sådant där barn, som blev bortbytt i vaggan och hamnade hos fel föräldrar — vi tror på gammalt skrock uppe i Hälsingland.

För första gången jag började förstå att jag i ett mycket väsentligt avseende var olik mina flickvänner var på en gymnasistbal i Gävle. Jag hade faktiskt två inbjudningar att välja emellan; pojkarna var inte sådana att de bara fäste sig vid skönhet, utan de uppskattade också en flicka, som var bussig och "kul", och det ansågs jag vara. Nå, jag hade valt att gå med en ljuslockig och mycket populär yngling, som för ögonblicket trodde att han var den enda människa i Europa, som helt hade genomträngt Schopenhauers filosofi. Efter dansens slut utredde han på en bänk i Boulognerskogen hurusom livet endast är olust, elände och ett aldrig mättat begär. Jag har aldrig fått klarhet i vilka associationer det var som plötsligt drev honom att kyssa mig, men jag vet att Schopenhauer skulle ha blivit nöjd med min reaktion inför den första kyssen. *Olust* är ett alltför milt ord; jag kände äckel och avsky både för honom och mig själv. Jag rusade vilt upprorisk hem till det rum, som jag delade med en klasskamrat, en mörk och eterisk liten varelse med tyskt påbrå och mycket exalterad läggning. Jag beundrade henne kolossalt — för hennes skönhet, för hennes nyckfullhet, för allting. När jag nu kom instormande med gråten i halsen fann jag *henne* fullt upplöst i tårar på sin säng. Jag glömde mina egna bekymmer och ägnade mig åt att trösta henne i hennes kärlekssorg. Och så hände det. På sitt vanliga impulsiva sätt slog hon armarna om mig och kysste mig varmt mitt på munnen. "Du är en raring! Vad skulle jag göra utan dig."

Naturligtvis vill jag inte påstå att jag just i den stunden fattade hela vidden av mitt problem. Men jag fattade att jag hade upplevat något mycket egendomligt. Jag hade funnit en kyss, som halva den kvinnliga gymnasistkåren skulle ha avundats mig, rent fysiskt motbjudande medan kyssen numro två hade tänt en fullständig feber i mitt blod. Det följande året var ingenting mindre än helvetiskt. Jag grubblade över mig själv under de långa nätterna och de ännu längre timmarna i skolan, jag blev tvär och konstig mot min rumskamrat, och just därför att både min kropp och själ ropade efter henne ansträngde jag mig våldsamt att bli förälskad i en knubbig gosse med glasögon — hos den filosofiske hade jag givetvis inte längre några chanser. Jag tror att det värsta var känslan att inte ha någon att tala med, att stå utanför kamratkretsen med dess förtroenden och utbytanden av hemliga tankar och drömmar.

Uppsala blev en befrielse i många avseenden. Jag upptäckte att jag inte var så ensam som jag hade trott utan att jag hade förvånande många gelikar i både kvinnliga och manliga kretsar. Jag blev förälskad, och för första gången upplevde jag saligheten i att finna min kärlek besvarad. Jag fick tala ut om mina problem, och min väninna, som var oroad av allt mitt grubbel, skickade mig både till en läkare — som bara sa att om jag nu var sådan så var jag det och han kunde ingenting göra — och till en psykoanalytiker, som däremot hjälpte mig en hel del. Han rådde mig att öppet försöka följa min personliga linje; jag har alltifrån barndomen vant mig alltför mycket vid ärlighet för att jag i längden skulle stå ut att leva ett liv i ständig förställning. Jag visste att han hade rätt, men jag visste också att om man i min hemsocken fick nys om sanningen skulle min far snart vara tvungen att lägga ner sitt prästämbete i den församlingen. Jag vet inte varför religiösa människor är mer intoleranta än andra, men jag har genom bitter erfarenhet lärt mig att det är så. Jag var också övertygad om att ärlighet i det här fallet skulle betyda att jag förde in en förkrossande sorg i mina gamla föräldrars liv, och så måste jag ändå välja lögnen och halvsanningen när jag var hemma och försiktigheten i min livsföring borta.

Uppsalas utpräglade småstads- och skvallermentalitet var också anledningen till att jag efter min magisterexamen flyttade över till Stockholm. Där träffade jag Marianne.

Jag behöver knappast ödsla ord på att förklara att hon blev den stora kärleken i mitt liv. Själv tillhörde hon den typ, som jag tyvärr alltid har haft oturen att dras till, den som aldrig finner riktig ro någonstans utan som både är ambivalent i sitt förhållande till könen och ganska trolös i sitt förhållande till individen. Trots att hon hade hållit ihop med Rutger i flera år visade hon snart ett allt mer eggande intresse för mig . . .

Ni har talat och frågat så mycket om vad som egentligen hände i maj förra året. Nu förstår ni det. Rutger upptäckte — på ett obehagligt påtagligt sätt — att Marianne bedrog honom, och han såg också med vem. Jag undrar inte alls på att han reagerade så våldsamt som han gjorde. Däremot hade jag inte räknat med att Marianne skulle ta brytningen så djupt.

Jag följde henne som ni vet till Paris, och jag hoppades att vistelsen där skulle komma henne att glömma Rutger. Men hon återvände för en månad sedan fast besluten att försöka få till stånd ett nytt sammanträffande med honom. Men om hon var förälskad i Rutger så var jag galen i henne, och de scener, som utspelades mellan oss innan hon fick mig med sig hit, är väl egentligen den yttersta förklaringen till vad som sedan hände.

Och nu ska jag gärna tala om vad det var som hände. Det är skönt att äntligen få tala ut.

Ytligt sett började det hela med att Ann snällt och artigt demonstrerade Ön för mig på torsdagseftermiddagen. Jag fick nämligen då en redig överblick över lokaliteterna även om ingen av oss just då begrep att det skulle komma att bli mig till stor nytta.

Jag visste mycket riktigt att Marianne var ute med Rutger på natten, men Christer har fel om han tror att jag redan då låg och tänkte på mord. Fullt så usel som han vill göra mig är jag inte, och när jag dödade skedde det inte på grund av någon kall beräkning utan därför att behärskningen under några sekunder svek mig och jag såg världen i rött.

Mariannes plötsliga beslut att resa kom som ett åskslag för mig, och när vi blev ensamma på vårt rum, inte för att "packa" utan för att säga adjö till varandra, ställde jag till ett storartat uppträde. Jag fordrade att åtminstone få följa henne till Forshyttan så att vi hann tala ut med varandra. Hon gick till sist med på det — att hon sedan för Jojje uppgav att hon skulle fara med Rutger visste jag ingenting om. Jag råkade emellertid bli vittne till hennes och Jojjes ömma avsked, och det var droppen i min redan fulla känslobägare. Att hon föredrog Rutger, som hon ju ändå hade tillhört i många år, det kunde jag acceptera, men att hon kladdade med varje vacker karl, som korsade hennes väg, blev mig för starkt. Jag väntade längre ner på stigen, och när hon bara för att retas och plåga mig talade om att hon tänkte resa direkt från Stockholm till Jojje i Båstad kände jag mig vitglödgad. Jag såg henne vända mig ryggen och kokett ordna sitt hår, och jag kände min fot stöta mot en sten. Sedan måtte jag ha slagit till henne med stenen, för hon föll i en hög vid mina fötter. Och då tog jag henne om halsen så som jag ofta gjort för att visa henne, vilken smal och vacker hals hon hade ... Jag smekte henne till döds ... Den röda scarfen lade jag bara dit efteråt för att dölja de fula märken jag hade gjort ...

Jag släpade henne upp till en stor gran och gömde henne där.

Så gick jag hem och tog tre sömntabletter. Jag sov från två till sex, och på kvällen var jag för sömnig för att kunna tänka. Men på natten vaknade jag vid tretiden. Jag förstår nu att det var Puck och Eje, som väckte mig. Jag beslöt att föra bort Marianne från Ön till något tryggare ställe. Först gick jag emellertid en runda för att konstatera att alla låg och sov. Jojjes fönster stod öppet, och jag retirerade hastigt när jag såg att han rörde sig.

Den röda scarfen stoppade jag mycket riktigt i fickan för att inte tappa den, och så bar jag Marianne ner till ekan. Där vände jag emellertid upp och ner på hennes väska så att allting föll ut. Det var därför jag måste ösa båten — för att förvissa mig om att jag inte glömt något läppstift eller visitkort. Hårspännet upptäckte jag emellertid inte, det måtte ha legat i andra ändan av ekan . . .

När Christer anlände förstod jag ju vad klockan var slagen, och jag beslöt att inte ge upp utan strid. Jag tyckte egentligen inte att jag hade gjort något orätt; Marianne hade plågat mig så länge att det närmast kändes som när man har dragit ut en värkande tand. Jag hade under förhören god hjälp av att jag sedan många år tillbaka vant mig att i väsentliga sammanhang ljuga och ändå se folk i ögonen. Men jag begick en blunder vid middagen när jag talade om att Marianne yppat sina Båstadsplaner för mig. Och jag tyckte att Christer i sin fina rekonstruktion av händelserna underskattade den goda Jojje en smula. Om Christer endast med stöd av referat i andra hand kunde räkna ut hur graverande den repliken var för mig borde han ha förstått att den kom det att röra sig till och med i Jojjes hjärna. Han hade klockan ett talat med Marianne om saken, Christer hade för länge sedan inpräntat i oss att Marianne förmodligen gick direkt från mötet med honom till sin död — dummare var han verkligen inte än att han spärrade upp ögon och öron när jag visade mig ha talat med Marianne senare än han. Jag läste misstankarna i hans ansikte, och det var delvis därför jag försäkrade mig om revolvern.

Samtidigt var jag orolig för att jag ännu hade den röda scarfen i behåll. Jag tänkte försöka göra mig av med den under natten, men det var, som alla vet, en mycket orolig natt. Jag låg vaken och lyssnade till alla ljud, och inte förrän vid fyratiden vågade jag ge mig i väg. Det lät som om någon förföljde mig, och jag kramade min revolver, men inte förrän jag hunnit upp på själva

187

Stupet och just stod i begrepp att kasta scarfen i sjön trädde Jojje fram. Han lyckades slita scarfen ifrån mig, och när jag hotade honom med revolvern rusade han ut på branten för att kasta sig i sjön. Jag antar att jag sköt i samma ögonblick som han tog språnget.

Nu tyckte jag att det hela var otäckt, och under måndagen blev jag ordentligt skrämd av Christers förhör. Dessutom visste jag ju att min frihet hängde på en enda människas tystnad; om Rutger så mycket som antydde vad han visste om mig och Marianne skulle strålkastarljuset omedelbart riktas mot mig. Jag förstod inte varför han teg; jag förstod inte att han var så djupt sårad och äcklad av Mariannes förhållande till mig att han inte ville tala om det ens när det gällde att sätta fast en mörderska. Och när jag vid åttatiden på kvällen gillrade min fälla i källaren så visste jag — om jag ska vara fullt uppriktig — inte om jag verkligen skulle använda den själv för att på så sätt avvända misstankarna eller om jag skulle låta honom gå i den. Så fort vi började spela insåg jag emellertid att jag inte ville medverka till ännu ett mord, och så gick jag ut vid första lämpliga tillfälle — Christers rekonstruktion var ytterst skarpsinnig och fullkomligt riktig. Jag visste att jag måste falla handlöst den sista biten om jag inte skulle bli genomskådad, och jag önskade i det ögonblicket nästan att min fälla skulle fungera som en verklig dödsfälla ...

Jag vet inte om jag har så mycket att tillägga. Anns självmordsförsök — för naturligtvis var det självmord — hade jag ingen aning om. Men givetvis är jag medveten om att jag genom min blotta existens har satt den händelseräcka i gång, som ledde fram till hennes handling ...

Nu när det hela är över och jag har försvunnit ur er åsyn kommer ni att säga: alltihop var egentligen så enkelt. Hon var en onormal människa med onormala böjelser, som till sist drev henne till två mord. Jag är ändå inte så säker på att det *är* så enkelt. Min kärlek var stark och normal för mig, och att den ledde mig till svåra brott berodde inte på att den var särpräglad. Däremot har det kanske spelat en roll att samhället och min omgivning har varit sådana att jag har tvingats att leva ett i viss mån oärligt och osant liv. Det kan aldrig leda till något gott för någon människa ...

Det dröjde länge innan någon talade eller rörde sig. Det var som om ett stilla lugn hade fallit över oss. Rutger hade långsamt sträckt på sig och fått ny glans i ögonen. Genom sin franka och ärliga bekännelse hade Viveka skurit hål även på gamla bölder. Om nu bara Ann fick leva ...

Min hjärna arbetade med att plocka in de sista bitarna i puzzlet, och jag undrade häpen varför jag inte tidigare anat hur bilden skulle komma att se ut. Där var Pyttans instinktiva reaktion inför Viveka: "jag vill inte vara ensam med henne, det känns så konstigt", där var Rutgers motvilja mot att Pyttan låg i hennes rum och den egendomliga blick han givit Viveka över Anns avsvimmade kropp, där var Lils spontana försäkran att Viveka var den enda kvinna, som tyckte om Marianne, för "hon räknades inte". Och där var först och sist Rutgers dunkla ord om den obehagliga slutscenen med Marianne ... Varför var man alltid så benägen att bedöma andra människor efter sin egen enkelspåriga bana? Varför hade man inte sinne och känsla för sina medmänniskors dolda problem?

Jag väcktes ur dessa grubblerier av ett rop från överkonstapel Berggren, och nästa ögonblick var det ett febrilt liv i det nyss så stilla rummet. Viveka hade helt omärkligt sjunkit samman i soffhörnet. Christer och överkonstapeln skakade henne häftigt, och hon såg upp med ett svagt leende:

— Det är inte farligt. Det är bara ett par tabletter ...

Det slog oss med ens att hon mot slutet av sin berättelse talat allt långsammare och med ständigt växande svårighet; tydligen hade hon redan då kämpat mot sömnen. Doktorn tillkallades från sängkammaren, men Viveka skakade sakta på huvudet:

— Det tjänar ingenting till, doktorn. Min medicinargosse har inte svikit mig ...

Doktorn konstaterade förtvivlad att hon redan sov och att inga enklare kräkmedel skulle vara till någon nytta här. Enda möjligheten vore att försöka nå ett sjukhus för att få henne magpumpad. Han yrkade på att man genast skulle fara; Ann var så pass återställd att han vågade lämna henne i vår vård.

Det blev ett hårt arbete för karlarna innan de fick flott motorbåten i mörkret och blåsten — regnet hade äntligen upphört. För första gången på många dagar opponerade sig ingen mot att Rutger själv förde båten in till Uvfallet. Med den sovande Viveka i famnen steg överkonstapeln ombord, och vi sade ett tyst farväl till honom, doktorn och konstapel Svensson. Vi lyssnade länge efter motorsmattret, och Pyttan viskade huttrande:

— Varför anstränger de sig så rysligt att hålla henne vid liv? Jag hoppas att medicinargossen *har* gjort sin sak ordentligt . . .

Jag tror att också vi andra kände oss tacksamma när vi fick veta att hon hade dött innan man hunnit över sjön.

*

Trots allt sov jag djupt och drömlöst, och när jag följande förmiddag steg ut i det bländande solskenet var jag på något underligt sätt oförmögen att fatta att de senaste dygnens händelser och avslöjanden varit verkliga. För precis en vecka sedan hade vi begynt vår samvaro på Lillborgen i sorglöshetens och uppsluppenhetens tecken, och i går kväll hade det hela slutat där inne i sällskapsrummet som en otäck påträngande mänsklig tragedi. Jag orkade inte längre känna efter vad jag egentligen kände.

Jag fick frukost hos Pyttan i köket och frågade henne hur det var med Ann.

— Hon är ruskigt förkyld, men annars mår hon faktiskt riktigt bra.

Pyttans ögon var lugna och klara. Så suckade hon lätt.

— Det låter naturligtvis hemskt om jag säger att jag strängt taget går omkring och är väldigt glad. Men det har legat som en mara över mig de här dagarna; längst inne trodde jag nog ibland att det var Rutger, som hade gjort det. Och nu . . . Du förstår mig, säg?

Jag nickade.

— Vi känner det nog som en lättnad allihop.

Hon böjde sig fram över bordet och tillade en smula skyggt.

— Det var i alla fall skönt att hon fick dö.

— Ja. Jag undrar vad det var hon tog in . . .

— Christer säger att han inte vet det. Och vad han absolut inte förstår är *när* hon svalde tabletterna. Kanske verkade de så långsamt att hon kan ha tagit dem redan innan han började sitt stora förhör. Men hon ska visst obduceras . . .

Jag gick genom sällskapsrummet och fann Eje och Rutger inne i biblioteket. På skrivbordet låg några fullskrivna pappersark.

Rutger följde min blick och sade långsamt:

— Jag försöker att skriva till de båda gamla uppe i Hälsingland. Men det är till och med svårare än jag hade trott.

De allvarliga grå ögonen vilade på den lilla Eros-figuren, och plötsligt sträckte han sig fram och tog den i handen.

— Grekernas Eros! För dem var den form av kärlek, som Viveka omfattade, den enda riktiga och värdiga. Man dömer människor alltför lätt, gör man inte?

— Jo, instämde jag, jag har tänkt på samma sak. I vilka gestalter han än uppträder tycks han i alla fall bringa lidande och sorg ...

— Inte alltid. Han kan bringa lycka och liv också. Rutgers kraftiga ansikte upplystes av ett vackert leende. Det har varit en sådan lisa för mig under de här dagarna att se er två. För ni tillåter väl att jag gratulerar?

Det tillät vi fast vi inte kunde begripa hur han hade upptäckt vår hemlighet. Han skrattade och sade att den förmodligen varit den sämst dolda av alla veckans mysterier. Därpå blev han på nytt allvarlig.

— Jag har talat ut med Ann. Hon mindes inte mycket mer än att hon hade gått ut i bara klänningen i ovädret därför att hon på något sätt måste få ett slut på sitt grubbel och sin oro. Hon trodde att det var jag som var mördaren och att det endast var en tidsfråga när Christer skulle få mig inringad. Och så gick hon upp på Stupet ... Hon älskar mig fortfarande. Hur det är möjligt räcker inte mitt förstånd till för att fatta, men kanske ska jag en gång kunna göra henne lycklig. Jag börjar ana att de känslor jag hyser för henne egentligen är många gånger mer värda än den lidelse, som drev mig till Marianne. Fast det är märkvärdigt att det skulle behövas mord och död för att lära mig det.

Tystnaden bröts av Christer, som kom in för att säga adjö.

Rutger såg ut över Uvlången, som åter låg inbjudande och spegelblank.

— Jag förstår er. Lillborgen kan knappast längre förefalla som ett lockande semesterställe. Reser ni alla?

— Lil åker med till Stockholm i min bil. Men Carl Herman stannar nog gärna tills tidningarna fått något nytt att intressera sig för. För att vara en berömd 40-talist har han ett ovanligt litet utvecklat sinne för publicitet.

Jag såg frågande på Einar, men han hade tydligen redan be-

191

stämt sig för oss båda.

— Vi reser till Skoga i dag. Men vi kommer gärna tillbaka, det behöver Rutger inte oroa sig för.

För en gångs skull var jag inte säker på att jag delade Einars åsikt, men jag opponerade mig inte. I stället traskade jag efter honom ut på gräsplanen, där vi nästan snavade över Carl Herman och Pyttan, vilka både föreföll mycket tänkande och upptagna.

— Vad gör ni? frågade jag med en blick på pennan i Carl Hermans hand. Har Den Store börjat på nästa diktsamling?

— Nej då, han skriver något mycket viktigare. Han författar mitt enskilda arbete.

— Pyttan! förmanade Einar i sin mest pedagogiska ton.

— Det är väl rysligt praktiskt. Då blir uppgifterna åtminstone tillförlitliga.

— Och så blir det färdigt, tillade jag med mina egna enskilda arbeten i dystert minne. Tänk, aldrig begrep jag att man borde ha gjort enskilt arbete om Olle Hedberg i stället för om Wallin. Fast alla moderna författare är kanske inte så tillmötesgående som Carl Herman. Har han avslöjat vad han anser om den fria kärleken?

Pyttans grå ögon strålade.

— Nej, men han har avslöjat något mycket viktigare. Han har erkänt —

— att den här beska medicinen har botat honom från en redan alltför långvarig galenskap beträffande Lil, fullbordade Carl Herman och körde alla tio fingrarna genom det lockiga håret. För övrigt vill jag helst inte störas när jag arbetar!

Men ögonblicket efteråt släppte han pennan och utstötte något som påminde om ett stönande.

... Över gräsplanen kom Lil. Lil i röda lockar och halsbrytande röda klackar med den grönblommiga tyrolerkjolen svepande omkring höfterna. Hon kysste oss alla ömt och smeksamt, och ögonen skimrade som klar bärnsten.

— Adjö, raringar. Tråkigt att det skulle behöva bli så kortvarigt. Men vi ses i Stockholm i höst. Lova mig det!

Och bakom henne, fullastad med resväskor och halmhattar och hattaskar och solparasoller, knogade fromt och undergivet kommissarie Christer Wijk ...